# NE SOUS-ESTIME JAMAIS TA STUPIDITÉ

# Tu penses pouvoir supporter un autre épisode du journal de Jasmine Kelly?

## Et bientôt...

Les chroniques de Jim Benton,
directement de l'école secondaire Malpartie

# mon JOURNAL FULL nul

## NE SOUS-ESTIME JAMAIS TA STUPIDITÉ

Le journal de Jasmine Kelly

Texte français de Marie-Josée Brière

Éditions
SCHOLASTIC

*Pour Craig Walker, sans qui ce journal
n'aurait peut-être jamais existé*

Catalogage avant publication de Bibliothèque et Archives Canada

Benton, Jim
Ne sous-estime jamais ta stupidité / Jim Benton; texte français de Marie-Josée Brière.
(Mon journal full nul)
Traduction de : Never Underestimate Your Dumbness.
Niveau d'intérêt selon l'âge: Pour les 9-12 ans.

ISBN 978-0-545-99123-0

I. Brière, Marie-Josée II. Titre. III. Collection : Benton, Jim. Mon journal full nul.

PZ23.B458Ne 2008     j813'.6     C2008-901293-3

Édition publiée par les Éditions Scholastic,
604, rue King Ouest, Toronto (Ontario)  M5V 1E1.

6 5 4 3 2     Imprimé au Canada 121     11 12 13 14 15

# Ce journal appartient à

**Jasmine Kelly**

ÉCOLE : École secondaire Malpartie

MEILLEURE AMIE : Isabelle

SPÉCIALITÉS : Beauté, stupidité

COULEUR LA
MOINS PRÉFÉRÉE : Brun beurk

VÊTEMENTS LES
MOINS PRÉFÉRÉS : Bouffants

À toi qui es en train de lire mon journal full nul,

As-tu vraiment le droit de lire le journal de quelqu'un d'autre? Sérieux! Comment peux-tu être aussi stupide? Tu **sais** pourtant que je ne suis pas d'accord!

Si c'est vous, les parents, je **SAIS** que je ne suis pas censée traiter les gens de stupides, de pas-de-tête, de sans-cervelle et de sans-génie, mais ceci est un j-o-u-r-n-a-l. Donc, je n'ai **rien dit** de tout ça, je l'ai seulement écrit.

Si vous me punissez pour ça, je saurai que vous avez lu mon journal — ce qui serait stupide parce que je **NE** vous ai **PAS** autorisés à le faire!

Et maintenant, en vertu du pouvoir dont je suis investie, je déclare solennellement que tout ce qui est écrit dans ce journal est vrai... ou du moins aussi vrai que je le juge nécessaire.

Signé

*Jasmine Kelly*

**P.-S. :** Juste au cas où tu te demanderais quel est ton degré de stupidité, je t'ai préparé une échelle très précise et très utile pour mesurer le QS — le « quotient de stupidité ».

# ÉCHELLE DE STUPIDITÉ

**NOUNOUNE**

Mange des trucs tombés par terre. Perd plein de choses. Aime la tonalité que produit une ligne occupée.

**DÉBILE**

Croit que la poudre pour bébés sert à fabriquer des bébés. Porte souvent un pantalon trop court.

**TATA**

A peur que ses jouets se mettent à bouger la nuit. Aime le goût de ses éternuements.

**IDIOT**

Pense que recycler, c'est faire de la bicyclette deux fois de suite. Trouve Angéline jolie. A le cerveau comme une brique de fudge.

# Dimanche 1ᵉʳ

Cher journal full nul,

Qu'est-ce que cela te ferait si ton oncle mangeait une de tes chaussettes et la déposait le lendemain — une fois digérée! — sur ta pelouse?

a) Je serais dégoûtée.

b) Je serais tellement dégoûtée que je ne pourrais plus jamais me « regoûter ».

c) Je resterais sur le perron.

Moi, je choisirais les trois réponses. Mon oncle n'a pas fait ça, bien sûr, mais mon chien, oui. Je ne sais pas trop pourquoi, on s'est contentés de tout nettoyer sans appeler la police — alors qu'on l'appellerait **sûrement** si jamais un oncle faisait ça. (Hé, les oncles! Tenez-vous-le pour dit, je suis très sérieuse!)

Oncle en prison pour dégoûtanterie au premier degré

Je ne comprendrai jamais pourquoi on endure un chien dont la mission principale, dans la vie, est d'émettre des odeurs et de se faire marcher dessus. On est vraiment stupides, hein?

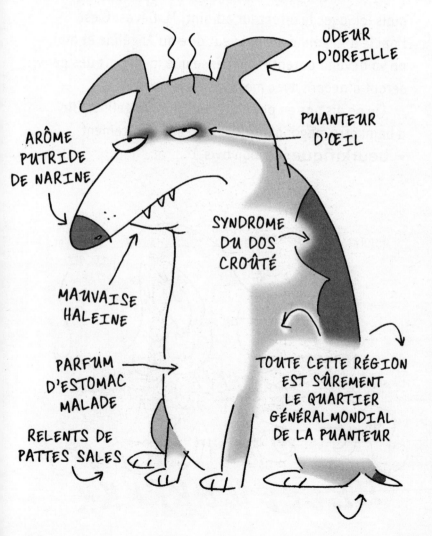

ODEUR D'OREILLE

PUANTEUR D'ŒIL

ARÔME PUTRIDE DE NARINE

SYNDROME DU DOS CROÛTÉ

MAUVAISE HALEINE

PARFUM D'ESTOMAC MALADE

TOUTE CETTE RÉGION EST SÛREMENT LE QUARTIER GÉNÉRAL MONDIAL DE LA PUANTEUR

RELENTS DE PATTES SALES

# Lundi 2

Cher toi,

Tu te souviens sûrement que tante Carole se marie, ce mois-ci, avec le directeur adjoint, M. Devos. C'est l'oncle d'Angéline, ce qui veut dire qu'Angéline et moi, on va devenir parentes. Je pense que la plupart des gens seront d'accord avec moi si je dis « beurk! ».

(Je ne dis pas ça pour lui, mais pour Angéline. Elle a beau être mégapopulaire, elle est parfaitement « beurkifique » à mon avis.)

HORRIBLE BRILLANCE BLONDE

YEUX D'UN BLEU PASTEL HIDEUX

JOUES D'UNE TEINTE ROSE AFFREUSE

DÉPLAISANT SOURIRE PLAISANT

BBEEEUURRKKK

Comme c'est mon directeur adjoint — donc, pas une personne —, je peux difficilement l'appeler « mon oncle Dan ». Je songe plutôt à quelque chose comme « mon-oncle-le-directeur-adjoint-monsieur-Devos ».

Il était vraiment gentil, autrefois, mais il a l'air un peu sombre ces temps-ci.

Isabelle dit que c'est parce qu'il va se marier bientôt et que les gens sont parfois un peu sombres quand Le Grand Jour approche parce qu'ils s'exercent pour la vie de couple. La preuve vivante qu'elle a raison, c'est mon père et ma mère. Il y a des jours où ils se disputent tellement qu'on se croirait dans un terrain de jeux.

ON S'EN BALANCE!

TERRAIN GLISSANT

JEU DU « JE CRIE PLUS FORT QUE TOI »

Il va y avoir plein de monde chez moi, vendredi, pour préparer le mariage de tante Carole — mais surtout pour me torturer en me faisant porter l'horrible robe brune bouffante et les affreux sabots de bois que ma tante a décidé d'imposer à ses demoiselles d'honneur. Merci, Isabelle!

En passant, sais-tu pourquoi on appelle ça des « demoiselles d'honneur »? Parce que ça serait un peu gênant de parler de « DEMOISELLES D'HORREUR »!

C'est difficile de ne pas blâmer Angéline dans toute cette histoire. C'est mieux que de me blâmer, MOI, après tout. Mais en réalité, c'est la faute d'Isabelle puisque c'est elle qui a fait croire à tante Carole que les robes bouffantes brunes et les SABOTS étaient les accessoires les plus « tendance » pour les mariages de cette année.

Mais j'ai beaucoup de mal à blâmer Isabelle pour quoi que ce soit, même quand on me met des preuves photographiques sous le nez.

D'ailleurs, Angéline est beaucoup plus jolie — et donc beaucoup plus facile à blâmer.

C'est ma mère qui a pris cette photo.
Ma mère dit qu'Isabelle m'a poussée dans le lac,
mais je pense qu'elle essayait
plutôt de me rattraper.

# Mardi 3

Cher journal,

Margot fait partie du comité organisateur de la danse à l'école. C'est un peu étonnant parce que, vu sa maladresse, on s'imagine tout naturellement qu'elle doit danser comme si quelqu'un avait glissé un furet dans son pantalon. Ça n'est ni tout à fait une fille, ni tout à fait un gorille. Je dirais que c'est une « gorfille ».

La danse est à la fin du mois, mais il faut des semaines pour transformer le gymnase — comme par magie — en magnifique salle de bal de conte de fées qui ressemble tout bêtement à un gymnase décoré avec des ballons.

Margot m'a demandé de l'aider à faire des affiches (mes talents de brillanteuse sont légendaires) et j'ai accepté de lui en faire une.

Elle aurait voulu un **QUADRILLION** d'affiches différentes, mais c'est très long, le **brillantage**, et je ne vais pas gâcher ma réputation en faisant des affiches qui développeraient une calvitie précoce parce que je me serais trop dépêchée. (La première règle de l'art, c'est que ça prend du temps pour faire des belles choses et qu'on ne peut pas faire coller la colle plus vite qu'elle ne colle.)

Si Léonard de Vinci avait été un brillanteur plus patient, la Joconde aurait été cent fois plus belle.

J'allais lui suggérer d'en faire quelques-unes elle-même, mais comme Margot mâchonne ses crayons, elle est presque mathématiquement incapable de faire des affiches. Quand elle voit tous ces délicieux instruments d'écriture devant elle, elle a l'impression de se trouver devant un buffet bien garni.

Alors, **il faut** bien que quelqu'un d'autre les fasse, ces affiches. C'est un élément essentiel de toute danse qui se respecte puisque ça aide les garçons à choisir, des semaines à l'avance, les filles qu'ils vont vouloir inviter à danser, mais qu'ils n'inviteront pas.

Ça aide aussi les filles à choisir les gars de qui elles veulent une invitation... qu'elles s'empresseront de refuser.

GRAPPE DE GARS

FOULE DE FILLES

MUR INVISIBLE DE PURE LÂCHETÉ

Même si je suis une légende vivante du brillantage, je dois reconnaître que Mlle Angrignon est en partie responsable de mes extraordinaires capacités en la matière.

Mlle Angrignon, c'est ma prof d'arts. C'est aussi ma prof préférée à vie, ce qui est un peu comme une **MAV** — une meilleure amie à vie —, mais pour un prof. D'ailleurs, même si elle est seulement prof, elle porte rarement des vêtements de prof et elle est assez belle pour être serveuse, ou même Miss Météo. Elle a essayé de voler le directeur adjoint à tante Carole quand ces deux-là ont commencé à sortir ensemble, alors tante Carole va probablement la détester jusqu'à la fin des temps, et peut-être après aussi.

Tout le monde sait que Mlle Angrignon est une des **PLUS GRANDES EXPERTES AU MONDE DANS LE DOMAINE DE TOUT-CE-QUI-BRILLE-MAIS-QUI-N'EST-PAS-OR** et qu'elle m'a appris quelques-unes de ses techniques exceptionnelles. C'est une vraie ceinture multicolore en **brillantise**!

Comme tante Carole déteste Mlle Angrignon, je ne dis jamais rien de gentil à son sujet en présence de ma tante, ce qui est **LA règle** à observer quand on a affaire à des gens qui ont des sentiments très arrêtés au sujet de certaines choses.

Personne ne penserait jamais, par exemple, à dire à une souris combien les chats sont mignons, ou à un bonhomme de neige qu'on a hâte d'être à l'été, ou encore à la Brunet (la surveillante de la caf) que c'est une bonne idée de ne pas manger neuf ou dix tartes par jour.

SI ELLE MANGEAIT MOINS DE TARTES,
LA BRUNET POURRAIT ÊTRE MINCE
COMME UN CURE-DENTS (POUR ÉLÉPHANT).

De toute manière, je pense que tante Carole est passée par-dessus tout ça, parce que je l'ai entendue dire qu'elle et son fiancé allaient inviter tous les profs de l'école à leur mariage, même « **Miss Mange-Trognon** ». Je suis à peu près certaine que c'est le nouveau nom de code que tante Carole utilise pour Mlle Angrignon — ce qui est certainement mieux que l'ancien, qui était un long chapelet de jurons tous plus censurables les uns que les autres.

# Mercredi 4

Cher journal,

Sac-à-puces a mangé un pot plein de brillants.

J'ai commencé mon affiche tout de suite après l'école. Je mets mes brillants dans des pots avec un couvercle perforé, pour pouvoir les saupoudrer. Alors, quand il m'a vu secouer un pot, il a dû penser que c'était une sorte d'épice appétissante. Pendant que j'avais le dos tourné — une seconde, pas plus! —, il a réussi à ouvrir mon pot de brillants dorés. Et il a tout avalé.

CHIEN PAS BRILLANT

Je pense que tous ces brillants l'ont un peu étourdi, parce qu'il marchait tout croche et qu'il a foncé dans le mur. Mais c'est peut-être aussi parce que je l'ai secoué un peu trop fort en essayant de faire tomber les brillants directement de son museau sur mon affiche.

Et maintenant, j'ai mal aux bras parce que Sac-à-puces serait encore considéré comme obèse même si on répartissait son poids entre trois chiens. Mais ça m'a donné une idée géniale pour un club de conditionnement physique, où on pourrait se faire des muscles en soulevant des chiens de plus en plus gros.

14

# Jeudi 5

Cher JFN,

Comme ma mère trouvait Sac-à-puces très bizarre, on a dû amener mon chien chez le vétérinaire après l'école, pour être certains qu'il ne souffrait pas d'un **empoisonnement aux brillants**, d'une **scintillantite** aiguë ou d'une autre maladie causée par l'absorption d'un pot plein de brillants.

Isabelle est venue avec nous parce qu'elle voudrait bien avoir un chiot. Mais sa mère ne veut pas parce qu'Isabelle n'a pas de chance avec ses animaux.

MISSIE S'EST SAUVÉE.

MACARON S'EST SAUVÉ.

GRAFFITI, OUI-OUI, CARAMEL ET DODU SE SONT SAUVÉS.

BOBO EST EN TRAIN DE SE SAUVER, MAIS ELLE FAIT SEULEMENT QUELQUES CENTIMÈTRES PAR JOUR.

Isabelle se disait que, si le vétérinaire distribuait des échantillons de chiots gratuits et qu'elle en rapportait un à la maison, comme par hasard, sa mère serait incapable de résister puisqu'il est sci-en-ti-fi-que-ment impossible de regarder un chiot dans les yeux et de lui déclarer qu'on ne l'aime pas.

Malheureusement, il n'y avait pas de distribution de chiots et, encore plus malheureusement, devine sur qui on est tombées? Sur Angéline et sa mère.

Et devine qui avait un chien — **juste pour faire comme moi**, j'en suis sûre? Eh oui, Angéline! D'ailleurs, elle ne fait pas seulement comme moi — elle fait aussi comme **10 MILLIONS** d'autres propriétaires de chiens au Canada, ce qui doit bien être un des pires cas de plagiat de l'Histoire.

Mais évidemment, Angéline ne pouvait pas avoir un chien ordinaire, comme tout le monde. Il a fallu qu'elle

TOUT LE MONDE EST FÂCHÉ CONTRE ANGÉLINE PARCE QU'ELLE A UN CHIEN.

aille le chercher **au chenil**.

Les chiens qui se retrouvent au chenil, c'est parce que leurs propriétaires n'en veulent plus. Ce ne sont plus des chiots, mais ils sont quand même assez mignons et intelligents pour que quelqu'un soit prêt à les adopter. (Quoique... si j'étais un chien et que j'avais à choisir entre le chenil et Angéline, je choisirais le chenil, à moins que la troisième option soit de mettre Angéline au chenil.)

Même si elle porte un nom adorable (elle s'appelle **Brioche-Dorée**), la chienne d'Angéline **ne ressemble pas** aux autres chiens qu'on trouve dans les chenils. Heureusement! elle est affreuse et elle a subi des dommages au cerveau. C'est du moins ce que j'ai diagnostiqué en constatant qu'elle n'avait même pas l'air dégoûtée quand Sac-à-puces lui a léché la face, ce qui — pour les humains — serait équivalent à... Eh bien, ce serait comme si Sac-à-puces léchait le visage d'un humain.

CE N'EST PAS DÉGUEU, ÇA?

Même si Brioche-Dorée est laide et stupide, Isabelle était jalouse d'Angéline. Je le sais parce qu'elle n'avait pas du tout l'air jalouse, ce qui est une preuve de jalousie encore plus flagrante que si elle avait eu l'air jalouse. Isabelle est vraiment experte en camouflage. Et, quand je lui ai dit que sa mère la laisserait peut-être adopter un chien du chenil, elle a dit qu'elle voulait un chiot. Puis elle m'a épelé deux ou trois fois le mot « chiot », et c'est comme ça que j'ai su qu'elle n'était vraiment pas dans son assiette parce que c'est seulement dans ces cas-là que les gens épèlent des mots sans y être obligés.

Après avoir examiné Sac-à-puces, le vétérinaire a décrété qu'il avait l'air de bien aller. À mon avis, ça veut dire qu'il a l'air d'aller pas trop mal pour un ballon en forme de chien plein de brillants et d'odeurs.

Mais, franchement, je n'écoutais pas vraiment. La laideur de la chienne d'Angéline m'avait mise de très bonne humeur et, tout ce que je voulais, c'était retourner à mon affiche en oubliant Angéline et sa Brioche-Dorée.

**3 AUTRES CHOSES QUI ME METTENT DE BONNE HUMEUR**

1. CE BON VIEUX PÈRE NOËL!

2. CE BON VIEUX PÈRE NOËL DEVIENT LOUP-GAROU ET ARRACHE UN BRAS À ANGÉLINE.

3. À BIEN Y PENSER, CE PÈRE NOËL LOUP-GAROU ME DONNE LA CHAIR DE POULE. JE M'EN VAIS FERMER MES FENÊTRES!

# Vendredi 6

Cher nul,

Tante Carole, oncle Dan, Isabelle et Angéline ont mis leur menace à exécution : ils sont venus à la maison ce soir.

Isabelle et moi, on a essayé de mettre les horribles sabots que tante Carole nous a donnés. Elle nous avait conseillé de les porter un petit peu chaque jour pour nous y habituer. Évidemment, des demoiselles d'honneur en larmes, les pieds pleins de sang, c'est un des principaux signes qu'un mariage ne se passe pas très bien.

Quelques autres signes :

1. Après avoir dit « oui », la mariée ajoute « mais un autre jour ».

2. Le marié arrache la tête de la mini-mariée qui décore le gâteau.

3. Les onze ex-maris de la mariée viennent à la cérémonie.

4. Le marié passe une rondelle d'oignon au doigt de la mariée.

5. Quand il est autorisé à embrasser la mariée, le marié dit : « Je passe mon tour. »

6. Plutôt que de lancer son bouquet, la mariée force le marié à le manger.

6. Plutôt que de lancer son bouquet, la mariée force le marié à le manger.

Angéline avait amené Brioche-Dorée chez moi pour ce défilé de mode des demoiselles d'honneur. Elle a DIT que c'était parce que sa chienne était encore un peu nerveuse et qu'elle n'aimait pas rester toute seule à la maison, mais je suis sûre que c'était plutôt pour nous montrer le résultat de la terrifiante technique de **métamorphose vaudou** dont elle s'est servie pour transformer Brioche-Dorée, qui pourrait bien être devenue **la chienne la plus adorable en ville.**

Oui, oui! Les belles filles peuvent faire ça. Isabelle dit que c'est une forme particulièrement horrible de magie noire qu'on appelle la « magie rose ».

Les filles qui pratiquent la **MAGIE ROSE** peuvent...

Dompter des licornes.

Se maquiller juste en y pensant.

Jouer dans les pires films de l'Histoire.

Isabelle a suggéré qu'on mette Brioche-Dorée dehors avec Sac-à-puces. J'ai trouvé que c'était une très bonne idée parce qu'à force de fréquenter Sac-à-puces, elle ne pourra sûrement pas faire autrement qu'enlaidir. Oui, oui! Les chiens laids peuvent faire ça! À mon avis, ça devrait s'appeler la « magie brune ».

Isabelle et moi, on est allées se changer dans ma chambre. Quand j'ai commencé à me plaindre des SABOTS, en disant qu'on devrait carrément refuser de les porter, elle a déclaré très calmement : « **Tu n'auras même pas besoin de les mettre** ». Et elle est sortie.

Chaussure
sabotée

Tuyau saboté
(avec cheveux, salive
et dentifrice)

Les deux provoquent un gros BEURK!

Une seconde plus tard, j'ai entendu un terrible hurlement et un gros « boum », puis Isabelle qui pleurait et gémissait comme si quelqu'un était en train de la couper en deux trèèès lentement avec des ciseaux de maternelle à peine capables de couper du papier — alors, couper une Isabelle... Je suis sortie en courant de ma chambre et j'ai constaté qu'elle avait déboulé l'escalier.

OH! MA MEILLEURE AMIE S'EST CASSÉ LE COU!

Tout le monde s'est précipité au pied de l'escalier pour entourer Isabelle, qui gémissait et pleurait tellement fort qu'elle ne réussissait pas à raconter ce qui s'était passé. Mais, finalement, Angéline a demandé : « Ce sont les sabots qui t'ont fait tomber ? »

Isabelle s'est contentée d'enfouir son visage dans ses mains en sanglotant de plus belle.

Alors, Angéline a dit doucement, sur un ton très professionnel de médecin : « Ce sont les sabots. Elle ne veut pas le dire, pour ne pas faire de peine à tante Carole. Mais c'est à cause des sabots. »

Ça n'a pas pris deux minutes : tante Carole nous a dit qu'on pouvait porter autre chose, qu'il ne fallait pas nous en faire avec ça et que tout irait bien. Tous les adultes se relayaient pour donner de la crème glacée à Isabelle en lui lissant doucement les cheveux pour la calmer parce que — pour une raison qui m'échappe — quand il y a quelque chose qui ne va pas, tout le monde présume qu'on veut avoir les cheveux lisses.

Dix minutes et deux bols de crème glacée plus tard, je suis remontée dans ma chambre avec Isabelle. Elle reniflait encore un peu quand Angéline est venue nous porter nos robes.

« Très habile, Isabelle », a dit Angéline, après quoi les sanglots d'Isabelle se sont transformés en rire démoniaque. Quand Isabelle rit comme ça, c'est souvent parce qu'il va se produire quelque chose de terrible. Je regarde toujours derrière moi pour m'assurer que je ne suis pas en train de reculer dans une hélice d'avion ou quelque chose du genre.

J'ai bien peur qu'un jour, il y ait quelque chose comme ÇA derrière moi.

Mais là, elle riait du **bon tour** qu'elle avait joué à tout le monde.

Isabelle avait fait **exprès** de débouler l'escalier! C'est un autre des trucs qu'elle a perfectionnés pour mettre ses méchants grands frères dans le pétrin.

## AUTRES TRUCS ANTI-GRANDS FRÈRES

Plier artistiquement ses lunettes pour faire croire que ses frères les ont cassées.

Simuler une coupure à la lèvre avec du ketchup.

Se faire un bleu dans le milieu du dos (c'est le seul être humain capable d'un tel exploit).

« J'ai failli faire semblant de m'étouffer à mort avec la crème glacée pour qu'ils me donnent quelque chose de meilleur, a dit Isabelle. Mais le **truc de l'étouffement à mort** est très difficile à réussir, et tout ce que je veux, c'est en finir avec cette histoire de robes de demoiselles d'honneur. »

J'ai déjà vu son imitation d'étouffement à mort.

Elle est même capable de la faire debout.

Après quelques minutes passées à faire semblant de laisser Isabelle récupérer, on a enfilé les **robes**. Elles sont trop laides pour qu'une bouche humaine puisse les décrire ou qu'un crayon humain puisse les dessiner. Elles sont énormes, **bouffantes**, et de la teinte exacte de BRUN que les bonnes choses n'ont jamais.

Tante Carole a aussi apporté tout un tas de grosses boucles d'oreilles brillantes, de colliers brillants et d'autres bijoux de ce genre pour qu'on les essaie, mais ça n'a pas aidé beaucoup — ce qui te donne une idée de la laideur hideuse de ces robes. D'habitude, on peut sauver à peu près n'importe quelle tenue avec un collier et des grosses boucles d'oreilles brillantes.

AVANT      APRÈS

ANNEAU
DE
NOMBRIL

Je ressemblais à peu près à une bouchée de croquant de viande crachée dans une serviette de table. Et, juste comme je me disais que ça ne pouvait pas être pire, c'est devenu encore pire.

Parce que la robe allait plutôt bien à Isabelle...

Elle était presque jolie dans sa robe bouffante. Tout bouffait là où ça devait bouffer. Tout volantait là où ça devait volanter. Si je n'avais pas eu l'air d'une méduse qui aurait avalé une couche pleine, je me serais peut-être réjouie pour elle.

C'EST TRISTE, MAIS ISABELLE ÉTAIT PRESQUE JOLIE.

Ma mère nous a appelées pour qu'on descende montrer nos robes. J'ai essayé de convaincre Isabelle de débouler encore une fois, mais elle a refusé en disant : « Oublie ça. Je l'aime, moi, cette robe. »

Alors, j'ai poussé ma meilleure amie dans l'escalier.

On dirait bien que les méchants grands frères d'Isabelle lui ont permis de développer un instinct très sûr pour deviner quand quelqu'un va la pousser dans un escalier. Elle a fait un pas de côté, avec une agilité de torero, et c'est MOI qui ai plongé, tête première, dans les marches.

Normalement, j'aurais pleuré et Isabelle aurait ri, mais Angéline était déjà en bas, en train de montrer sa robe, et tout le monde avait les yeux fixés sur elle.

BING
BANG
BING
BANG
BING
BANG
BANG
BOOM

J'ai dû m'évanouir une minute, parce que je me souviens vaguement d'avoir fait un rêve – à moins que je n'aie eu une vision? Ça se passait il y a très longtemps. Il y avait tout plein de gens des cavernes rassemblés autour d'un machin quelconque, genre « violon en or massif ». Ils étaient là, à écouter la musique du violon en essayant de saisir la pure beauté de ce magnifique instrument. Et ils marmonnaient, tout en grognant et en se grattant le derrière, que c'était merveilleux d'avoir un violon en or massif et qu'ils auraient bien voulu l'inventer eux-mêmes – et toutes sortes d'autres balivernes comme en racontaient les gens des cavernes.

Alors, tu comprends mon rêve, mon cher nul? Le violon en or massif, c'était Angéline. Les autres étaient les gens des cavernes. Et moi, j'étais un vulgaire machin écrasé sous le pied d'une des femmes des cavernes.

C'était déjà assez horrible comme ça, mais pendant que les gens des cavernes discutaient des petites retouches à apporter ici ou là, j'ai croisé le regard de mon-oncle-le-directeur-adjoint-monsieur-Devos, qui me fixait d'un air terriblement déçu — moi, sa future nièce, qui avais l'air d'un petit tas de poussière brune.

Après de longues minutes de cette torture — qui m'ont paru une éternité —, ils ont enfin ramassé tout leur fourbi de demoiselles d'honneur, y compris Brioche-Dorée, et ils sont partis.

REGARD TERRIBLEMENT DÉÇU DANS MA DIRECTION

ANGÉLINE
(EN FLOU ARTISTIQUE)

# Samedi 7

Cher toi,

Ce matin, j'ai trouvé une paire de grosses boucles d'oreilles brillantes sur la pelouse. Angéline a dû les perdre quand elle est sortie chercher Brioche-Dorée. J'imagine que ses lobes d'oreilles ne sont pas assez développés pour supporter ce genre de bijoux.

Je vais les redonner à tante Carole lundi.

Lobes d'oreilles SOUS-DÉVELOPPÉS (Quelle honte!)

LA FORME DES OREILLES POURRAIT BIEN ÊTRE MON NOUVEAU CRITÈRE FAVORI POUR JUGER LES GENS.

Margot a téléphoné cet après-midi pour M'ORDONNER de finir mon affiche au plus vite. Margot souffre d'inquiétudite chronique – c'est très contagieux! – et elle a réussi à me contaminer au téléphone.

Alors, j'ai commencé à m'inquiéter au sujet de la danse. Il reste seulement trois semaines, tu sais, et je dois vraiment m'exercer à me tenir debout.

Je sais bien ce que tu vas dire : comme c'est une danse, je ferais mieux de m'exercer à danser. Mais c'est facile, danser. Je sais déjà comment faire.

POSTURES CÉLÈBRES

« LA FILLE NULLE »

« MISS MYSTÈRE »

Le problème, c'est qu'on reste debout TRÈS longtemps, pendant une danse, alors il faut que je m'exerce à rester debout dans différentes postures. J'ai appelé Isabelle pour qu'elle vienne m'aider, mais elle a eu un problème quand elle est rentrée chez elle hier soir, et elle attend de savoir quelle va être sa punition.

Je me suis inquiétée aussi de l'attitude que mon-oncle-le-directeur-adjoint-monsieur-Devos-que-j'ai-terriblement-déçu allait avoir à mon égard à la danse. (La tâche de chaperon pendant les danses fait partie de ses attributions officielles, comme de nous dire de ne pas courir dans les corridors et de nous montrer combien de fois par année un homme peut porter la même cravate.)

Ce qui m'a amenée à m'inquiéter de l'air grotesque que j'allais avoir au mariage. Et aussi de ce qui pourrait arriver si je ne me tenais pas bien debout pendant la danse. Alors, en me remettant au travail pour finir mon affiche, j'ai senti soudain la pulsation d'un bouton de stress sous la peau de mon menton.

La Fée des boutons

Ça ne paraît pas encore, mais maintenant que je suis la future mère d'un nouveau bouton, il va falloir que je m'occupe d'une foule de choses.

Comme tous les petits, mon bouton va exiger beaucoup d'attention. Je vais devoir lui consacrer du temps chaque jour pour lui dire qu'il m'énerve prodigieusement. À mon avis, c'est vraiment la partie la plus importante, quand on est la mère d'un bouton : lui faire savoir à quel point on le déteste.

Le bouton est un peu sensible, mais il est encore tout petit. Et, heureusement, personne sur Terre ne peut le voir pour le moment.

AVANT
LE BOUTON

AVEC
LE BOUTON

# Dimanche 8

Cher journal,

Isabelle est venue aujourd'hui et elle a détecté mon futur bouton à huit maisons de chez moi.

« Un bouton, hein? C'est pour quand, à ton avis? » a-t-elle demandé.

MOI

SUPERDÉTECTEUR D'HUMILIATION

J'ai essayé de nier, mais Isabelle a un talent exceptionnel pour détecter les imperfections cutanées. Malheureusement, elle ne pourra jamais mettre ce talent naturel à profit comme dermatologue, parce que son goût de se moquer des imperfections des autres est encore plus prononcé que sa capacité à les déceler. Elle dit que ses patients qui souffriraient d'acné ne seraient probablement pas très contents de se faire appeler « Face de pizza », par exemple.

On ne peut rien cacher à Isabelle. Elle a regardé mon menton de plus près et elle a dit : « Allô, Fred! »

« À qui tu parles? C'est qui, Fred? »

« Je baptise toujours tes boutons, a dit Isabelle. Celui-ci a l'air d'un Fred. C'est le stress, j'imagine? Parce que tu te tiens comme un saule pleureur et que tu te trouves affreuse dans ta robe de demoiselle d'honneur? »

« Tu baptises mes BOUTONS? »

Alors elle a dit, le plus naturellement du monde :
« Bien sûr. C'est comme des petits animaux, pour moi.
Ils arrivent, je les baptise et je les regarde grossir, et
puis ils s'en vont. Comme mes animaux de compagnie. »

J'étais abasourdie. Isabelle considérait mon visage
comme une garderie!

« Hé! a-t-elle ajouté en souriant. Tu te souviens des
jumeaux, Bouti et Bouta? Ils ont grossi tellement vite. »

Isabelle est une nounou TRÈS SPÉCIALE...

Alors on a eu une énorme dispute au sujet des robes et des boutons, du derrière de quelqu'un qui ressemble à... je ne peux pas le dire... quand elle danse et des gens qui devraient juste se la boucler.

Ce qui nous a amenées à une discussion plus poussée sur la question, à savoir QUI devrait se la boucler et quand. Puis Isabelle s'est rappelé qu'elle devait quitter ma propriété parce que JE le lui ai rappelé de toute la force de mes poumons.

ON S'EST BATTUES COMME DES GUERRIÈRES BARBARES, OU MÊME COMME DES GOLFEUSES.

Je déteste les disputes avec Isabelle.

Tout ce que je veux, c'est finir mon affiche, chanter une petite berceuse méchante à mon bouton et aller me coucher.

**CE QUE JE FAIS SOUVENT APRÈS NOS DISPUTES**

M'empiffrer d'un litre de crème glacée.

Pfff

Faire une poupée en papier à l'effigie d'Isabelle et la déchirer en morceaux.

En fait, je trouve toutes les raisons de m'empiffrer de crème glacée.

# Lundi 9

Cher journal,

J'étais en train de coller mon affiche à un mur de l'école, ce matin, quand Angéline s'est arrêtée pour m'aider avec son arrogance habituelle. Elle pensait probablement qu'elle pourrait s'approprier le mérite de mon travail de brillantage.

Comme je finissais mon installation, elle a regardé par-dessus mon épaule, elle a sorti quelque chose de son sac et elle m'a barbouillé le menton.

J'ai reculé d'un pas en titubant comme une personne empoisonnée, puisque je pensais naturellement qu'elle m'avait barbouillé le menton avec du poison (par jalousie, à cause de mes immenses talents de brillanteuse). Et je me suis retrouvée dans les bras d'Henri Riverain — le huitième plus beau gars de la classe — qui arrivait derrière moi.

À bien y penser, même si c'était malheureusement de dos, il m'a bel et bien prise dans ses bras!

JE PARIE QUE JULIETTE TOMBAIT
DANS LES BRAS DE ROMÉO
AVEC LA MÊME GRÂCE INGÉNUE.

Alors il a dit doucement — je m'en souviendrai toute ma vie —, en plongeant ses yeux dans mes yeux magnifiques :

« Dis donc, où as-tu appris à **marcher?** »

Bon, bon, ça n'était peut-être pas hyper gentil, mais ce qu'il a dit ensuite l'était beaucoup plus.

« Ma mère nous amène manger des tacos après la danse. Voulez-vous venir, toutes les deux? Mais pas Isabelle. Elle, elle ne peut pas venir. »

J'ai répondu tout de suite : « On aimerait beaucoup ça. » Je ne voulais pas laisser à Angéline la chance de prononcer le mot « **aimer** » dans une phrase destinée à Henri, qui venait de me serrer dans ses bras par-derrière.

Cupidon apporte les Merveilleux Tacos de l'Amour et un Coca-Cola moyen.

Pendant qu'Henri s'éloignait, je me suis soudainement rappelé le poison qu'Angéline avait répandu sur moi et je lui ai demandé :

« Avec quoi tu m'as barbouillé le menton? »

« J'ai vu Henri arriver, alors je t'ai mis un peu de maquillage pour cacher le bleu que tu as sur le menton. »

« C'est un bouton, ai-je précisé avec tout le sérieux dû à cette information médicale. Je vais donner naissance à un bouton. »

« Mais non, c'est un bleu, a-t-elle répliqué en me lançant son étui à maquillage. Tu te l'es probablement fait en déboulant l'escalier. Ça ne paraîtra plus dans quelques jours. Tu peux garder le maquillage. »

VAPEUR
DE COLÈRE

C'est précisément à ce moment-là qu'Isabelle est arrivée.

« Hé! Comment va le petit Fred? » a-t-elle demandé.

Alors on a recommencé à se disputer. Ça n'a pas été une dispute long métrage, seulement une dispute-clip (une dispute-clip, c'est une dispute qui dure moins de 30 secondes). Quand on est de bonnes amies, on apprend à se disputer en vitesse. On ne sait jamais quand il va falloir faire front commun contre quelqu'un d'autre. Et puis — il faut bien l'avouer —, on sait toutes les deux qu'on ne sera pas fâchées éternellement, alors pourquoi faire traîner les choses?

On s'est réconciliées **très vite** et, comme on ne s'était pas vraiment réconciliées après notre dispute précédente, on s'est réconciliées pour celle-là aussi.

Donc, à partir de cet instant, Isabelle et moi on était redevenues **MAV**. Mais il faut que tout le monde sache — c'est important de le préciser! — que, quand j'ai accepté l'invitation d'Henri à aller manger les **Tacos de l'Amour**, Isabelle et moi, on ne s'était **pas encore** réconciliées, ce qui fait qu'on **n'était pas des MAV** à ce moment-là. Alors, je n'ai pas vraiment enfreint les commandements de l'amitié entre MAV.

LES COMMANDEMENTS SE TRANSMETTENT DE GÉNÉRATION EN GÉNÉRATION.

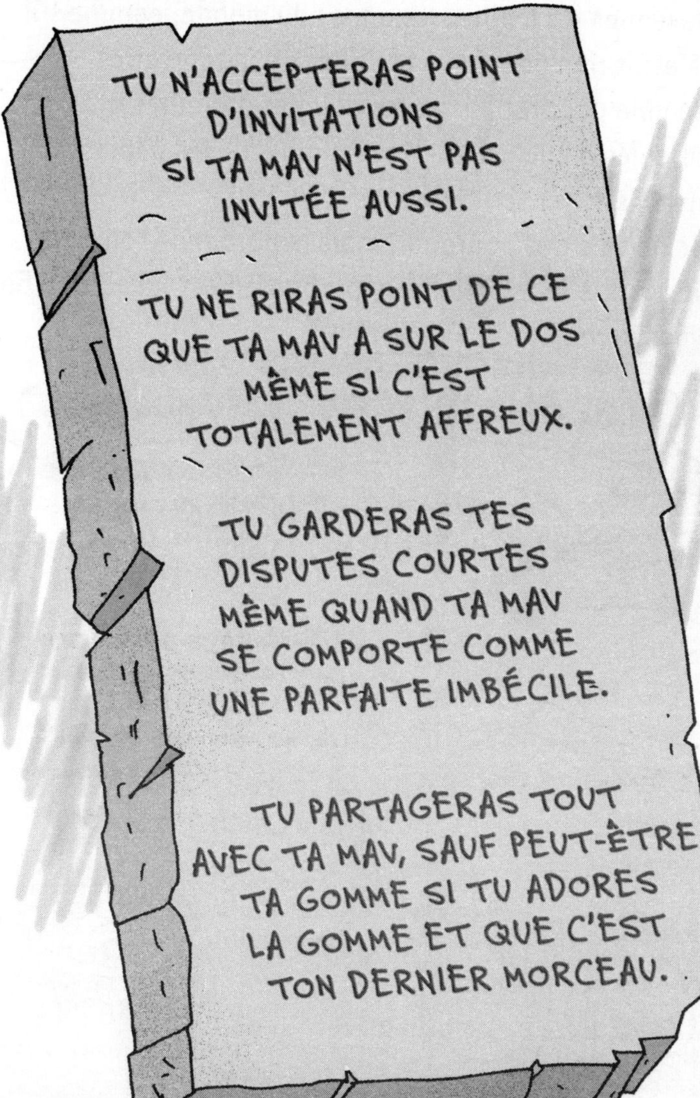

TU N'ACCEPTERAS POINT
D'INVITATIONS
SI TA MAV N'EST PAS
INVITÉE AUSSI.

TU NE RIRAS POINT DE CE
QUE TA MAV A SUR LE DOS
MÊME SI C'EST
TOTALEMENT AFFREUX.

TU GARDERAS TES
DISPUTES COURTES
MÊME QUAND TA MAV
SE COMPORTE COMME
UNE PARFAITE IMBÉCILE.

TU PARTAGERAS TOUT
AVEC TA MAV, SAUF PEUT-ÊTRE
TA GOMME SI TU ADORES
LA GOMME ET QUE C'EST
TON DERNIER MORCEAU.

À la fin de la journée, Isabelle et moi, on était redevenues les meilleures amies du monde, comme s'il ne s'était rien passé. On est allées au secrétariat ensemble pour rapporter les boucles d'oreilles à tante Carole. Mais elle n'était pas là, alors on les a laissées dans un sac sur son bureau.

Je ne sais pas pourquoi, mais je pardonne toujours tout à Isabelle, et je le ferai probablement jusqu'à la fin de mes jours.

J'ai déjà pardonné à Isabelle...

Le dessin au marqueur qu'elle m'a fait pendant la nuit (l'an dernier).

L'histoire de la maladie mortelle pour laquelle le seul remède était de manger des gâteaux (en 2e année).

Son déguisement de Jasmine à l'Halloween (deux fois).

# Mardi 10

Cher nul,

C'est bête, mais Angéline avait raison. Ce n'était pas un futur bouton, c'était un bleu. La sensation de picotement a disparu, et je me rends bien compte maintenant que je n'abritais pas du tout un volcan souterrain.

Mais je n'insisterai jamais assez : quand on ne peut pas sentir une personne, ça ne change pas grand-chose qu'elle ait tort ou qu'elle ait raison. Alors, avis à toutes les personnes que je ne peux pas sentir : que vous ayez tort ou raison, je vais quand même vous traiter comme si vous aviez tort. Donc, ça n'est pas la peine de vous forcer pour avoir raison.

TORT        TRÈS TORT

La prof de sciences, Mme Poitras, nous a demandé aujourd'hui de créer un diorama sur une grande découverte, par exemple l'invention de la fourgonnette ou de la gravitation.

Un diorama, cher nul, c'est — en gros — une boîte à chaussures dans laquelle on colle des choses pour avoir un B. C'est un peu plus compliqué que ça, en réalité, mais ne va surtout pas demander à Michel Pinsonneau de t'expliquer. Il y avait encore des chaussures dans le dernier diorama qu'il a fait!

Mais pourquoi est-ce que les profs nous demandent de faire des DIORAMAS dans des boîtes à chaussures?

FOSSÉ DE CAFÉ

Ils s'en servent probablement pour construire une FORTERESSE POUR PROFS où ils pourront noter nos travaux, boire du café et s'ennuyer à mourir.

Isabelle est venue chez moi ce soir pour
« TRAVAILLER À NOS DIORAMAS SUR LES DÉCOUVERTES ». Si j'ai mis ça entre guillemets, c'est pour que tu comprennes que c'est ce qu'on a DIT qu'on allait faire. En réalité, on voulait travailler à nos postures pour la danse.

Je me demande pourquoi ça veut dire qu'on ment quand on met quelque chose entre guillemets comme ça. C'est peut-être parce que notre mensonge ressemble à une grosse pile de déchets qui puent, et que les guillemets sont censés faire penser à des petites mouches qui tournent autour.

Isabelle a fait beaucoup d'efforts pour m'aider à trouver de bonnes façons de me tenir debout pendant la danse. Je pense avoir maîtrisé trois postures importantes.

1.  Je bouge juste assez pour montrer que j'aime la musique.
2.  Je trouve le temps long, mais avec grâce et élégance!
3.  Je reste là, mais tout le monde peut voir que j'aurais mieux à faire. C'est clair!

Pour sa part, Isabelle a maîtrisé quelques postures
que très peu de gens peuvent réussir. Par exemple :

1. Viens donc par ici que je te fasse manger une de
   tes chaussures!
2. Je suis mignonne, mais à la manière d'un porc-
   épic qui aurait dans les mains une allumette et
   un bâton de dynamite.
3. J'adore cette chanson, alors à moins que tu aies
   envie de rencontrer un ambulancier très bientôt,
   je te conseille de ne pas m'adresser la parole
   pour le moment.

Isabelle m'a tellement bien aidée à travailler mes postures que je me sentais **horriblement, horriblement, horriblement, horriblement, horriblement horrible** de la laisser tomber pour aller manger des tacos avec Henri.

Mais sais-tu quoi? Ça vient de me passer, juste comme ça! J'aurais cru que ça me prendrait plus de temps à me remettre de cinq « horriblement ». Je dois être particulièrement forte, j'imagine.

En plus, je suis VRAIMENT mignonne.

Comme un lapin qui ferait de la MUSCULATION.

# Mercredi 11

Cher journal,

**AÏOÏE!** En plein milieu du cours d'arts, mon-oncle-le-directeur-adjoint-monsieur-Devos et tante Carole sont venus demander à Mlle Angrignon de sortir dans le corridor parce qu'ils avaient à lui parler.

Tante Carole était tellement en colère que je l'ai prise pour ma mère pendant quelques secondes. Mon futur oncle, lui, avait l'air inquiet et désemparé. Deux minutes après leur arrivée, ils murmuraient tous les trois à voix si basse que ça ne pouvait vouloir dire qu'une seule chose : ils étaient furieux et ne voulaient pas que les autres entendent, ce qu'on a évidemment interprété comme une invitation à tout laisser tomber pour écouter plus attentivement.

C'EST PROUVÉ SCIENTIFIQUEMENT : Plus les gens qui se disputent parlent bas, plus les autres ont l'oreille fine.

Isabelle et moi, on serait probablement restées à notre place encore quelques secondes, mais quand on a vu Angéline se glisser discrètement vers la porte pour écornifler, on a décidé qu'il fallait y aller nous aussi pour nous assurer qu'elle ne violerait pas leur intimité — du moins, pas trop.

Quand on s'est décidées à jeter un coup d'œil, on a vu tante Carole qui agitait sous le nez de Mlle Angrignon les grosses boucles d'oreilles brillantes que j'avais laissées dans un sac sur son bureau. Mlle Angrignon a affirmé qu'elle n'avait aucune idée de ce que c'était, ni d'où ça venait, et tante Carole a répliqué que c'était sûrement elle qui avait laissé ça là parce que tout le monde sait qu'elle adore les brillants et qu'elle n'a jamais digéré les fiançailles de tante Carole et du directeur adjoint, et de toute manière, qui d'autre aurait pu fabriquer des crottes brillantes comme ça?

Des crottes brillantes... Des crottes brillantes... Ça m'a trotté dans la tête quelques instants, et je me suis dit : « Ce serait un nom vraiment cool pour un groupe punk, mais je me demande bien comment les musiciens s'habilleraient... » Et puis, ça m'a frappée en plein front!

Angéline n'avait pas perdu ses grosses boucles d'oreilles sur ma pelouse. Tous les brillants que Sac-à-puces avait avalés avaient fini par ressortir à l'autre bout... Et c'est ÇA que j'avais déposé sur le bureau de tante Carole!

Il n'y a pas de manière facile d'intervenir dans une situation comme celle-là. C'est pour ça qu'il a été tellement facile de m'abstenir.

On s'est précipitées à nos pupitres et on a fait semblant de ne pas comprendre pourquoi Mlle Angrignon était tellement en colère quand elle est rentrée dans la classe en claquant la porte derrière elle.

« Il y a des gens!... » a-t-elle dit. Et on a tous approuvé de la tête parce que c'est toujours la meilleure chose à faire devant une personne en colère.

# CHOSES À NE JAMAIS FAIRE PRÈS D'UNE PERSONNE EN COLÈRE :

ESSAYER DE VOIR L'AUTRE CÔTÉ DE LA MÉDAILLE.

RIRE DE LA VOIX AIGUË QU'ELLE A QUAND ELLE HURLE.

RESPIRER, OU CLIGNER DES YEUX.

# Jeudi 12

Cher nul,

Je me suis fait du mauvais sang toute la nuit pour Mlle Angrignon. Je dois dire qu'Isabelle n'a pas aidé les choses en déclarant que c'était probablement un crime contre l'hygiène publique de laisser des crottes quelque part. Elle m'a parlé d'une fille, dans une autre école, qui a éternué sous l'un des écrans de plastique qu'on place sur les bars à salade, dans les restaurants. Pour la punir de ce crime contre l'hygiène publique, le juge l'a forcée à travailler au restaurant pour le restant de ses jours. Je sais très bien de qui elle parle : c'est de la serveuse vraiment, vraiment vieille, tellement vieille qu'on hésite à lui demander d'apporter à manger. On aurait plutôt envie de lui dire de s'asseoir et qu'on va se débrouiller.

Je pense que ces vieilles serveuses-là méritent de prendre leur retraite. Par pure gentillesse, je laisse toujours des notes dans les boîtes à suggestions pour dire qu'il faudrait les mettre à la porte.

Quand je me suis réveillée, j'étais résolue à tout raconter à Mlle Angrignon, mais Isabelle m'a fait changer d'idée quand je suis arrivée à l'école. Elle a dit que, si je devais le dire à quelqu'un, c'était à tante Carole parce qu'elle pourrait alors appeler la police pour faire annuler les poursuites.

Alors je suis allée parler à tante Carole. Quand je lui ai dit que c'était moi qui avais laissé les crottes embrillantées sur son bureau, elle a eu les larmes aux yeux — ça lui arrive TRÈS souvent depuis qu'elle est fiancée — et elle m'a serrée dans ses bras.

« C'est gentil de ta part d'endosser la responsabilité, Jasmine. Mais Angéline a déjà avoué. Elle nous a présenté ses excuses. C'est juste une blague qui a mal tourné. On s'est embrassées et on s'est réconciliées. J'ai même fait mes excuses à Mlle Angrignon. »

« Alors tout ça est derrière nous maintenant, mais évidemment, après la scène avec Mlle Angrignon, il a bien fallu punir Angéline. Donc, elle ne pourra pas aller à la danse. »

LES FIANCÉES SONT AUSSI BRAILLARDES QUE DES BÉBÉS.

MAIS ELLES ONT DES BRAS DE LUTTEURS DE FOIRE.

Angéline ne va pas à la danse? Alors, si elle ne va pas à la danse, elle ne pourra pas aller manger des tacos après la danse! Et tout ça, par ma faute.

J'ai parfois du mal à croire comment les choses peuvent s'arranger... et tout ça, par ma faute.

## ☆ LES EXPLOITS DE LA FILLE ☆ LA PLUS NÉGLIGENTE EN VILLE!

UN JOUR...

ELLE LAISSE LA LUMIÈRE ALLUMÉE DANS SA CHAMBRE, CE QUI ENTRAÎNE LE RÉCHAUFFEMENT DE LA PLANÈTE.

ALORS LA FONTE DES CALOTTES POLAIRES MODIFIE L'ORBITE DE LA TERRE.

LA PLANÈTE FONCE TOUT DROIT VERS UN ASTÉROÏDE QUI ARRIVE À TOUTE VITESSE.

ET L'ASTÉROÏDE ATTERRIT EN PLEIN DANS LES CHEVEUX D'ANGÉLINE!

# Vendredi 13

Cher toi,

Isabelle est venue à la maison aujourd'hui. Elle m'a dit qu'elle devait aller promener Sac-à-puces parce qu'elle veut faire son diorama sur le baron Louis de la Laisse — le gars qui a inventé la laisse — et qu'elle doit prendre des notes sur les laisses. J'aurais bien aimé trouver un aussi bon sujet.

Avant qu'ils partent pour leur petite promenade, j'ai demandé à Isabelle pourquoi Angéline aurait avoué l'affaire des **« boucles d'oreilles de chien »** que j'avais laissées sur le bureau de tante Carole. (Tu as remarqué les petites mouches qui bourdonnent autour de ces quatre mots-là?)

Isabelle avait une théorie très astucieuse. D'après elle, c'est à cause de la super stupidité d'Angéline.

La grande scientifique Isabelle en train d'examiner une molécule de SUPER STUPIDITÉ prélevée sur Angéline.

Isabelle a probablement raison. Elle a presque toujours raison.

Quand je repense aux choses qu'a faites Angéline, le seul point qu'elles ont en commun, c'est qu'elles sont stupides. (L'odeur de fraise, c'est probablement son revitalisant – à moins que son corps sécrète son propre parfum de fraise, on ne sait jamais...)

Et de toutes les choses stupides qu'elle a faites dans sa vie, la plus stupide est certainement d'avoir avoué qu'elle avait déposé de la crotte de chien sur le bureau de ma tante, alors que ce n'était pas vrai.

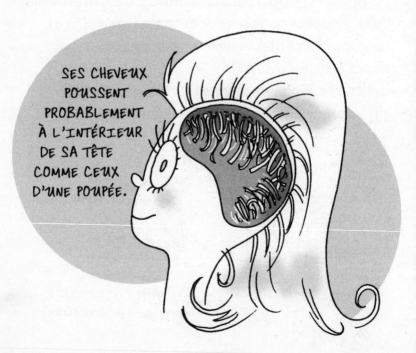

SES CHEVEUX POUSSENT PROBABLEMENT À L'INTÉRIEUR DE SA TÊTE COMME CEUX D'UNE POUPÉE.

Mais Isabelle est peut-être mal placée pour parler de stupidité. Elle et Sac-à-puces ont été partis une heure et demie parce qu'elle s'est perdue dans le quartier. En plus, elle ne sait même pas s'occuper d'un chien. Sac-à-puces est revenu encore plus sale et plus ébouriffé que d'habitude.

AVANT

APRÈS

# Samedi 14

Cher nul,

Quand je me suis levée ce matin, ma mère m'a annoncé que tante Carole allait nous emmener — Angéline, Isabelle et moi — acheter de nouveaux souliers pour remplacer nos sabots.

Normalement, j'aime bien acheter des souliers, mais je savais que je devrais regarder en face le beau visage d'Angéline, qui ne va pas à la danse.

En fait, aucune partie de son corps n'y va...

On est allées chercher Angéline chez elle et, quand on est arrivées, elle était dehors en train de brosser Brioche-Dorée, qui est encore plus mignonne qu'avant. C'est sûrement à cause des pouvoirs maléfiques de beautéification d'Angéline.

Isabelle est encore jalouse, c'est clair! Elle a regardé Brioche-Dorée tellement longtemps que la petite chienne s'est mise à japper.

Isabelle pense encore qu'Angéline est probablement super stupide, alors elle a commencé immédiatement à lui parler ul-tra len-te-ment, comme à une enfant de deux ans. Elle dit que c'est comme ça qu'il faut parler aux gens stupides comme Angéline.

Angéline n'avait pas l'air de trouver ça très drôle, mais Isabelle dit que les gens stupides se fâchent facilement, par exemple quand ils n'ont pas le droit d'avoir une cinquième portion de pouding ou quand quelqu'un a placé leur jouet à mâchonner au mauvais endroit.

On a essayé des tonnes de chaussures.

Des super pointues, qui auraient pu être utiles si on avait à embrocher quelque chose tout en restant élégantes.

Des super plates, qui auraient été parfaites si on avait voulu ressembler à des ballerines qui n'ont rien à se mettre dans les pieds, à part des pantoufles à bout carré qui leur font des toutes petites jambes.

Et d'autres avec une multitude de courroies qui donnaient l'impression que nos pieds étaient des animaux dangereux qu'il ne fallait pas laisser s'échapper.

Enfin, tante Carole a fait son choix. Elle nous a acheté des chaussures brunes, avec des talons moyennement hauts, puisque nous avions déterminé

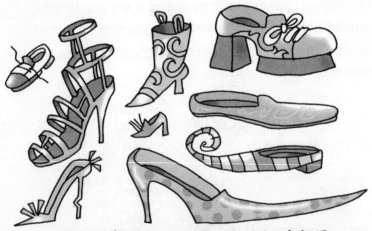

JE SUIS SÛRE QUE LES FABRICANTS SE LANCENT DES DÉFIS POUR SAVOIR LEQUEL VA INVENTER LES CHAUSSURES LES PLUS LAIDES AU MONDE.

76

qu'Angéline était la seule assez disproportionnée pour pouvoir marcher sur des talons super hauts.

Plus tard, quand on a laissé Angéline chez elle, elle nous a rappelé que nous devions porter nos souliers de temps en temps pour nous y habituer.

Isabelle a dit que c'était une bonne idée, mais que si on se promenait sur la pelouse, il fallait faire attention de ne pas marcher sur des boucles d'oreilles – ce qui était une remarque totalement stupide. Comme on s'éloignait, j'ai regardé derrière moi et j'ai vu qu'Angéline essayait de mettre tout ça ensemble dans sa tête.

J'ai dit à Isabelle qu'Angéline n'était pas aussi stupide qu'elle en aurait l'air plus tard – du moins, on l'espère.

Isabelle dit de ne pas m'inquiéter avec ça. Comme ce n'est pas moi qui ai fait cette remarque stupide, Angéline doit penser que c'est Isabelle qui a déposé la crotte sur le bureau de tante Carole.

Elle affirme que la première règle de la culpabilité, c'est qu'**on se sent moins coupable quand les gens ne savent pas qu'on l'est.**

Il vaut mieux ignorer certaines choses...

Comme la culpabilité.

# Dimanche 15

Cher full nul,

Le dimanche, c'est le jour des devoirs, alors Isabelle est revenue promener Sac-à-puces. Elle a dit qu'elle avait égaré les notes qu'elle avait prises l'autre jour. (Et puis, devine quoi? Elle s'est perdue encore une fois, et Sac-à-puces est revenu encore une fois tout sale et tout ébouriffé.)

Pendant leur absence, j'ai passé à peu près deux heures à fouiller dans ma chambre pour trouver un livre à propos d'inventeurs que j'avais emprunté à la bibliothèque. Ma mère me dit toujours que je devrais être plus organisée, mais à mon avis, l'organisation, c'est pour les gens qui sont trop paresseux pour passer deux heures à chercher quelque chose.

J'ai une vieille Barbie que je pensais utiliser pour mon diorama, mais je n'ai pas trouvé un seul inventeur qui lui ressemble. On dirait bien que les blondes de deux mètres quinze sont plutôt rares dans le domaine des sciences.

Dans mon livre, il y avait une inventrice qui ressemblait un peu à M. Patate, mais Sac-à-puces a mangé toutes les pièces de mon M. Patate il y a des années, alors il a plutôt l'air d'un M. Pas-de-Tête, ce qui est un peu trop perturbant pour un diorama.

Elle n'entre même pas dans une boîte à chaussures.

Ah, Barbie! Tu as les jambes trop longues pour la science.

La Barbie me rappelait un peu Angéline, ce qui m'a donné l'idée d'une petite pièce de théâtre : Angéline me regardait partir avec Henri pour aller manger des tacos, et elle pleurait à chaudes larmes parce qu'elle ne pouvait même pas aller à la danse. Alors, tout à coup, j'ai compris une chose.

Que j'adore faire du théâtre!

JE SUIS BIEN TROP GRANDE POUR JOUER À LA POUPÉE, MAIS ÇA, C'EST QUAND MÊME TRÈS SATISFAISANT...

J'ai compris aussi que ce n'était pas la faute d'Angéline si elle allait se sentir aussi triste. C'était la faute d'Isabelle, qui lui avait mis la puce à l'oreille. (C'est le cas de le dire!)

Et c'était la faute d'Henri, qui nous a invitées à aller manger des tacos, sans Isabelle.

Et c'était la faute du gouvernement, qui encourage les écoles secondaires à organiser des danses. Ça m'étonne que quelqu'un puisse même penser que c'est ma faute.

En plus, comme c'est ma **MÈRE** qui m'a fabriquée...

... tout ce que je fais, c'est **SA FAUTE**, non?

Bon, je ne veux pas penser à ça maintenant.
Je retourne à ma lecture sur les inventeurs.

# Lundi 16

Cher toi,

Le mariage de tante Carole rend aussi ma mère un peu folle. Mon père dit que les mariages peuvent rendre fous tous ceux qui y sont associés, et je commence à croire qu'il a raison. Ma mère n'arrête pas de dire à quel point elle est contente que Machin-Truc et Truc-Machin viennent aux noces.

Je n'ai vraiment pas hâte de voir tous ces gens que je n'ai pas vus depuis longtemps, parce que la conversation va inévitablement se dérouler comme ceci :

**VIEIL ONCLE GAGA :** Oh, bonjour, Jeannine.

**MOI :** C'est Jasmine.

**VIEIL ONCLE GAGA :** Ah, oui, c'est vrai! Mon Dieu, ça pousse, la mauvaise herbe!

**MOI :** Quelle mauvaise herbe?

**VIEIL ONCLE GAGA :** Blabedi gou gou, bla bla bla.

(Évidemment, mon vieil oncle gaga ne dira pas **vraiment** ça, mais à ce moment-là, je me serai endormie dans mon assiette et c'est à peu près à ça que sa phrase ressemblera pour moi.)

Après avoir fini de placoter au sujet du mariage, ma mère m'a regardée avec un grand sourire gaga – c'est contagieux, il faut croire! – et elle m'a dit qu'on pourrait bien avoir, avant très longtemps, quelqu'un de nouveau à cajoler et à embrasser dans la famille.

J'ai d'abord pensé qu'elle parlait d'Angéline, et ça m'a fait tellement paniquer psychologiquement que je me suis un peu évanouie. Pendant que mon père s'apprêtait à téléphoner à l'hôpital, ma mère a dit que tante Carole et mon-oncle-le-directeur-adjoint-monsieur-Devos pourraient bien avoir un bébé un de ces jours. Ouf! C'est à **ÇA** que ma mère pensait...

L'IDÉE A FAILLI ME RENDRE FOLLE POUR TOUJOURS.

Elle m'a expliqué ensuite qu'Angéline et moi, on ne serait pas cousines. Quand la tante d'une fille épouse l'oncle d'une autre fille, ça ne veut pas dire que ces deux filles-là sont parentes. **PAS DU TOUT.**

**TU AS ENTENDU ÇA, CHER TOI? ON N'EST PAS PARENTES DU TOUT!**

C'EST COMME SI ON VENAIT DE M'ENLEVER UNE VERRUE ÉNORME, MAIS TRÈS JOLIE.

C'est la meilleure nouvelle que j'ai entendue au sujet d'Angéline depuis le jour où on a cru qu'elle avait des poux. (Malheureusement, c'était juste des papillons attirés par son parfum.)

Comprends-moi bien : Angéline NE s'est PAS transformée en petit tas de poussière, alors ce n'est pas comme si le père Noël m'avait donné le cadeau que je lui demande depuis quatre ans. Mais quand même, **c'est une excellente nouvelle!**

Eh bien, Jasmine est très gentille, et elle danse comme une déesse. Je pourrais peut-être faire atterrir mon traîneau directement sur Angéline. Ce serait un beau cadeau à faire à Jasmine, hein?

# Mardi 17

Cher journal,

Aujourd'hui, pendant le cours de sciences, Mme Poitras nous a raconté quelques-uns des **Grands Moments de la Science** — des moments tellement grands, tellement fabuleux et tellement importants pour l'espèce humaine qu'ils mériteraient peut-être d'être représentés dans une vieille boîte à chaussures.

VIENT DE DÉCOUVRIR LE REMÈDE À TOUT

DÉCOUVREUR DU REMÈDE À TOUT

Yé!

Par exemple, il y a très longtemps, une fille — c'était sûrement une fille! — a décidé qu'elle en avait assez de marcher partout. Alors, elle a attrapé un cheval, elle lui a mis une selle et elle l'a obligé à l'amener partout.

Après ça, d'autres personnes ont décidé que les chevaux n'allaient pas assez vite. Ils ont donc entrepris de transformer la terre en acier pour fabriquer des voitures, et puis de pomper le pétrole de la terre pour faire marcher les voitures, pour que les voitures les amènent partout.

Et maintenant, il y a des gens qui trouvent que les voitures ne sont pas assez écologiques et qui veulent construire des machines qui transformeraient le maïs en carburant pour faire marcher les voitures qui nous amènent partout.

J'ai levé ma main pour faire remarquer qu'on pourrait peut-être donner le maïs aux chevaux, ce qui résoudrait un certain nombre de problèmes du même coup.

Mais tu sais une chose, cher journal? Les profs **DISENT** qu'ils veulent qu'on participe et qu'on fasse des remarques originales, mais il faut bien choisir son moment, sinon ils nous en veulent. Mme Poitras était sur le point de faire une **GRANDE DÉMONSTRATION SCIENTIFIQUE.** J'ai dû la distraire et lui faire perdre le fil, parce qu'elle m'a envoyée au secrétariat pour voir si elle avait du courrier — la belle excuse!

Je suis arrivée juste à temps pour entendre tante Carole et mon futur oncle qui criaient dans le bureau de M. Devos. Quand tante Carole est sortie en claquant la porte, j'ai bien vu qu'elle avait pleuré un peu.

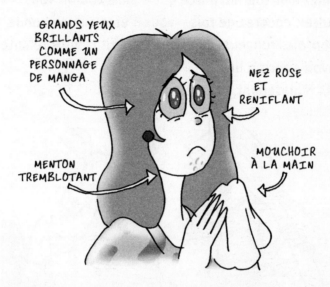

GRANDS YEUX BRILLANTS COMME UN PERSONNAGE DE MANGA.

NEZ ROSE ET RENIFLANT

MENTON TREMBLOTANT

MOUCHOIR À LA MAIN

J'ai tourné les talons et je suis sortie du secrétariat avant qu'elle me voie, pour ne pas la gêner. Je commence à penser que le directeur adjoint, M. Devos, est un rat.

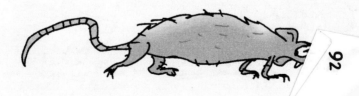

Je ne devrais peut-être pas employer le mot « rat »
parce que c'est insultant pour les vrais rats. S'il y a des
vrais rats qui sont en train de lire mon journal, je ne
voulais pas vous insulter. Mais j'aimerais bien que vous
lâchiez mon journal parce que — sans vouloir vous
insulter, encore une fois — vous n'êtes qu'une bande
d'horribles rongeurs dégoûtants. Mais je vous félicite
d'avoir appris à lire!

Et maintenant, lâchez mon journal.

# Mercredi 18

Cher JFN,

Isabelle est en train de devenir un petit génie. Elle travaille vraiment très fort à son projet sur le baron Louis de la Laisse.

Elle est venue chez moi **ENCORE** aujourd'hui pour emmener Sac-à-puces en promenade. Sac-à-puces commence à s'habituer à elle. La preuve, c'est que, quand il l'a vue, il s'est mis à sauter sur place. Mais il est tellement gros qu'il saute en restant par terre.

Pendant qu'Isabelle et Sac-à-puces se préparaient à s'en aller, je lui ai parlé de l'histoire de tante Carole et de mon-oncle-le-directeur-adjoint-monsieur-Devos, pour voir si elle pouvait m'aider à faire annuler le mariage, mais elle m'a dit d'oublier ça parce qu'elle aime bien sa robe de demoiselle d'honneur.

Puis, quand je lui ai offert de l'accompagner pour éviter qu'elle se perde encore une fois, elle a refusé et elle a ajouté qu'elle se perdrait **probablement ENCORE** aujourd'hui. Elle m'a dit de ne pas partir à leur recherche si jamais ils ne revenaient pas avant un bout de temps et de ne pas paniquer si Sac-à-puces était tout sale et tout ébouriffé en rentrant.

J'avais envie de raconter à ma mère l'incident entre tante Carole et mon-oncle-le-directeur-adjoint-monsieur-Devos, mais elle est vraiment trop contente de ce mariage-là. Alors, comme il y a seulement quatre ou cinq choses qui mettent les mères de bonne humeur, je n'ai pas insisté.

(La vérité, c'est que la plupart des choses mettent les mères de mauvaise humeur.)

Choses qui devraient mettre les mères de bonne humeur, mais qui ont plutôt l'air de les fâcher :

HÉ, MAMAN! DEVINE CE QUE JE ME SUIS FAIT PERCER?

J'AI MIS TES SOUS-VÊTEMENTS À UN CHAT ERRANT ET JE L'AI LAISSÉ PARTIR.

J'AI MONTRÉ AU CHIEN COMMENT PÉTER LE NOM DE GRAND-MAMAN.

Puis — si jamais ça t'intéresse — Isabelle s'est **effectivement** perdue, et Sac-à-puces **est revenu** encore une fois tout sale et tout ébouriffé. Exactement comme elle l'avait prédit. Elle a des dons étonnants, hein?

# Jeudi 19

Cher nul,

C'était le jour du pain de viande à la caf. Le jeudi, c'est TOUJOURS le jour du pain de viande.

Je ne dis pas ça parce que c'est nécessairement dégoûtant, le pain de viande. Celui de la mère d'Isabelle est tellement délicieux que c'est probablement la deuxième chose qu'une vache pourrait souhaiter. (La première étant de NE PAS finir en pain de viande...)

J'étais tellement concentrée sur ma colère bouillonnante contre mon-oncle-le-directeur-adjoint-

PLAN **A**
POUR VACHE

PLAN **B**
POUR VACHE

monsieur-Devos, parce qu'il avait fait pleurer tante
Carole, que j'aurais trouvé tout à fait inapproprié de
manger quelque chose de bon. Le pain de viande était
un plat parfait pour accompagner une rage comme
celle-là.

Tu vois ce que je veux dire? On ne peut tout
simplement pas rester fâché quand on mange certaines
sortes de nourriture, par exemple les cornets de crème
glacée décorés d'un visage de clown. Je ne serais pas
capable de rester fâchée s'ils nous en donnaient au
dîner. Personne ne serait capable.

Peut-être que, pour la prochaine guerre, on devrait
en larguer sur les troupes des deux camps.

En tout cas, tante Carole et son fiancé sont passés à côté de la table où on était assises, Isabelle et moi, et Isabelle a décidé de lancer des insinuations très subtiles au sujet de l'incident de l'autre jour.

« Pourquoi tu pleurais au secrétariat l'autre jour? » a-t-elle demandé. C'était tellement subtil que j'ai failli m'étouffer... subtilement, bien sûr!

Isabelle affirme qu'il n'y a rien de mal à dire les choses comme elles sont. Elle prétend que c'est comme donner un coup de pied, mais avec sa bouche.

Tante Carole a répondu : « C'était mes nerfs, tout simplement. Les mariages ont parfois cet effet-là. C'était à cause d'un détail stupide que j'ai déjà oublié. » Puis elle nous a tourné le dos, imitée par mon-oncle-le-directeur-adjoint-monsieur-Devos.

Alors je me suis dit : *« Bon, c'est très simple. Je pense qu'on peut oublier ça. »*

Bon.
C'est fini.

Mais, avant qu'ils s'éloignent, Isabelle a agrippé la manche de mon-oncle-le-directeur-adjoint-monsieur-Devos et a ajouté, comme une fille qui n'était pas du tout prête à oublier ça : « Parfait. Parce que je tiens beaucoup à porter ma robe, même si Jasmine déteste la sienne. »

Gloup! Décidément, le pain de viande de la caf était le plat **PARFAIT** pour accompagner cette conversation...

Heureusement, tante Carole n'a pas entendu. Je le sais parce que ma mère n'était pas fâchée quand je suis rentrée à la maison, et elle l'aurait été si tante Carole l'avait appelée pour lui raconter ce petit détail amusant.

LES PÈRES GRIMPENT AUSSI DANS LES RIDEAUX DE TEMPS EN TEMPS...

QUAND LEUR ADORABLE PETITE FILLE A ENCORE OUBLIÉ OÙ ELLE A ENTERRÉ LA TÉLÉCOMMANDE.

QUAND ILS ESSAIENT DE DÉBALLER ET D'ASSEMBLER DES JOUETS.

QUAND ON LEUR DEMANDE LEUR AVIS SUR LES RIDEAUX.

# Vendredi 20

Cher journal,

Quand je suis rentrée à la maison, j'ai trouvé un gros cadeau de tante Carole sur mon lit. Évidemment, il y a beaucoup de cadeaux à l'occasion des mariages, et on peut difficilement se plaindre d'une politique comme celle-là pendant qu'on en déballe un.

JE SUIS TOUJOURS D'ACCORD POUR RECEVOIR DES CADEAUX.

Il y avait une note avec le cadeau. (Je n'ai pas pu m'empêcher de remarquer que ma tante avait mis les « mouches » au bon endroit.)

Chère Jasmine,

Merci d'avoir accepté d'être ma demoiselle d'honneur. Grâce à toi, à Angéline et à Isabelle, notre journée va être vraiment inoubliable.

Souvent, la mariée donne des bijoux à ses demoiselles d'honneur, mais à cause du déplorable incident des « boucles d'oreilles », ton futur oncle Dan a suggéré de vous donner plutôt des robes et des chaussures pour la répétition. (Il m'a même aidée à les choisir!) J'ai très hâte de te voir les porter.

Bisous,
Tante Carole et oncle Dan

Comme nos robes de demoiselles d'horreur sont tellement **beurkifiques**, j'avais peur de voir de quoi j'aurais l'air dans cette nouvelle robe, mais – tu me croiras si tu veux! –, elle me va plutôt bien. Comme tante Carole avait déjà toutes mes mesures, la robe me va comme un gant.

Elle est très simple, d'un beau brun chocolat – comme le chocolat qu'on voit dans les livres de recettes.

Je verrais bien Mlle Angrignon porter une robe comme ça, et je dois avouer qu'elle me va plus que « plutôt » bien. Elle me va super, hyper bien! Je suis sexy et élégante en même temps, comme si un arc-en-ciel en chocolat et un lustre en chocolat avaient eu un bébé.

Je me suis exercée à bouger de façon sexy et élégante dans ma robe :

CARESSE SEXY ET ÉLÉGANTE POUR UN CANICHE SEXY ET ÉLÉGANT

SALUTATION SEXY ET ÉLÉGANTE

EMPOISONNEMENT ALIMENTAIRE SEXY ET ÉLÉGANT

J'étais au septième ciel, évidemment, et quand on est arrivés au restaurant pour la répétition, je suis restée sur mon petit nuage. Isabelle avait exactement la même robe, mais elle n'était pas plus belle que moi. Même Angéline était juste un peu plus belle, au lieu d'**INFINIMENT** et **ÉNORMÉMENT** plus belle, ce à quoi on aurait pu s'attendre étant donné l'impolitesse légendaire d'Angéline pour ce genre de chose.

*Angéline se demandait probablement pourquoi elle n'était pas un zillion de fois plus belle que le monde entier.*

Finalement, une répétition, c'est seulement un bon repas pendant lequel on nous dit où nous placer et où ne pas péter pendant le mariage.

Réponse : À gauche de la mariée.

La répétition a généralement lieu la veille du mariage, mais dans ce cas-ci, c'est impossible parce que mon-oncle-le-directeur-adjoint-monsieur-Devos doit faire le chaperon à la danse de l'école, vendredi. Alors elle a eu lieu une semaine à l'avance.

Mon-oncle-le-directeur-adjoint-monsieur-Devos avait invité des amis qui — c'est bizarre, hein? — ne sont pas des profs ou d'autres directeurs d'école. Je pensais que les gens qui travaillent dans les écoles restaient toujours entre eux, comme les bisons par exemple.

C'étaient son témoin et ses garçons d'honneur, qui sont chargés de nous escorter dans l'allée et de frapper tous ceux qui oseraient rire de moi et de ma robe de demoiselle d'horreur.

J'ai tout de suite choisi le plus gros et le plus laid, en me disant que j'aurais l'air un peu mieux que lui.

Les invités vont tous dire : « Oh! Jasmine est seulement un tout petit peu affreuse à côté de l'abominable homme des neiges qui l'accompagne dans l'allée! »

On a aussi rencontré Béa, la dame d'honneur de tante Carole. Et j'ai compris tout à coup pourquoi on avait hérité de pareilles robes : c'est parce que Béa avait aidé à les choisir.

Béa a des courbes naturelles exactement identiques à celles de nos robes, et même ses vêtements ordinaires ont des petites touches « demoiselle d'honneur » un peu partout.

Gens du monde entier, unissez-vous! À bas la **fanfreluchite!**

Béa a le visage rose en permanence et elle ricane beaucoup. C'est sûrement le genre de fille qui emballe ses cadeaux avec des tas de rubans et qui a des savons décoratifs.

Béa      Le porte-clés de Béa

Pendant toute la soirée, on a répété le mariage dans ses moindres détails.

C'était « Il faut marcher comme ceci » et « Il faut te tenir comme ça », puis « Il ne faut pas mâcher de gomme » et « N'oublie pas d'aller à la toilette avant », et « Bla, bla, bla ».

Quand tout ça a été fini, je dois dire que je **NE** comprenais **PLUS** pourquoi les gens se marient. C'est bien trop de travail!

Je suis à peu près sûre que, si c'était aussi compliqué de divorcer, les gens resteraient ensemble par pure paresse.

Voici comment une **cérémonie de divorce** devrait se dérouler à mon avis :

❀ *Il faut inviter tous les gens qui étaient au mariage et leur remettre leurs cadeaux.*

❀ *À la fin de la cérémonie, les nouveaux divorcés s'arrachent la tête plutôt que de s'embrasser.*

❀ *Les demoiselles d'honneur doivent quand même porter des robes ridicules (ce qui serait plus approprié dans ces circonstances).*

# Samedi 21

Cher nul,

Je m'apprêtais à passer la journée sans être sexy et élégante, mais ça ne s'est pas passé comme prévu.

J'avais complètement oublié qu'on devait aller à une fête pour tante Carole — ce qui donne à la future mariée une occasion d'accumuler un tas de cadeaux, avant d'en accumuler une montagne d'autres, le jour du mariage.

Je me suis rendu compte que les futures mariées étaient tellement magnifiques que le simple fait d'être avec elles peut vous donner de la **magnificité**. La première chose que j'ai sue, c'est que je devais encore une fois me mettre sur mon trente-six.

Mariée en train de déplacer ses cadeaux avec le traditionnel élévateur à cadeaux matrimonial

La réception-cadeaux avait lieu chez Béa (la dame d'honneur faite en fanfreluches). Et tu sais quoi? Toute sa maison a l'air d'avoir été décorée avec des robes de demoiselles d'honneur!

On dirait un **Musée de l'ADORABILITÉ**. Il y a des petits napperons de dentelle, délicats comme tout, sous tous les objets, et d'innombrables petites figurines de caniches et d'enfants, choux comme tout, qui penchent adorablement la tête de côté. Je ne connais pas très bien Béa, mais en tout cas, c'est probablement la plus grande spécialiste de la MIGNONNERIE au monde — quelle spécialité stupide, hein?

Bien sûr, Angéline n'avait pas pu S'EMPÊCHER d'apporter une photo de sa Brioche-Dorée adorée pour la montrer à tout le monde. **Et tu sais quoi?** Elle penchait la tête de côté comme une professionnelle du figurinisme — même si on ne peut pas écarter la possibilité qu'Angéline l'ait fixée dans cette position, avec du ruban gommé et du fil de fer, juste pour la photo.

ATTENTION!
L'OBSERVATION DIRECTE DE CETTE PHOTO PEUT CAUSER DES CARIES.

# Dimanche 22

Cher journal,

Isabelle est venue **ENCORE** aujourd'hui pour faire de la recherche sur les laisses avec Sac-à-puces. Je n'ai jamais vu mon chien aussi content de voir quelqu'un. Ils sont partis quelques heures, et Sac-à-puces est revenu tout sale et tout ébouriffé comme d'habitude, mais je suppose que c'est le prix à payer pour son éducation.

Je n'ai pas encore décidé quoi faire pour mon diorama. Je commence à avoir peur que le mien ressemble plus à un **DHIARRÉ**ma qu'à un **DIORA**ma.

Moi, emmenée dans un établissement pour les HANDICAPÉS DIORAMANIAQUES

J'étais contente qu'Isabelle ne reste pas longtemps parce que je devais m'exercer à manger des **tacos** avec Henri après la danse.

Comme tous les gens normaux, j'adore les tacos, mais ils sont faits pour avoir bon goût, pas pour être mangés avec goût. En fait, **il y a cinq grandes catégories d'aliments** dont la conception défectueuse nuit sérieusement à la beauté de ceux qui les mangent :

1. Le maïs soufflé (le seul aliment qu'on mange en se remplissant la bouche avant de mâcher)
2. Le melon d'eau (beaucoup de grignotage et de crachotage — le seul aliment que les singes et les humains mangent de la même façon)

3. Les spaghettis (beaucoup de bruit, la tête penchée sur son assiette comme un chien au-dessus de son bol — problèmes occasionnels de cheveux dans la sauce — difficile de ne pas ressembler à un animal qui mange des lacets)

4. Les crevettes non décortiquées (donnent souvent l'impression qu'on mange des insectes d'une taille record)

5. Les tacos (beaucoup de flexions du cou et d'ingrédients qui explosent partout — font parfois assez de bruit dans la bouche pour rendre la conversation difficile)

Bien sûr, Angéline **N'a AUCUN** problème quand elle mange des tacos, ELLE. Elle aurait beau aspirer une tarentule graisseuse servie dans un cendrier, elle aurait quand même l'air de déguster une fraise trempée dans le chocolat.

Mais moi, je dois m'entraîner...

Comme on n'avait pas de coquilles à tacos à la maison, j'ai plié des rôties en deux et je les ai remplies de laitue et de céréales pour reconstituer **l'anatomie de base d'un taco.** J'ai passé un bon bout de temps devant le miroir, à me regarder manger, en tâchant de ne pas projeter des ingrédients partout et de ne pas donner l'impression d'avoir perdu mes vertèbres cervicales.

VRAI TACO

SIMILI TACO D'ENTRAÎNEMENT

Au début, je n'étais pas sûre de pouvoir manger mes tacos avec élégance, mais après beaucoup de planification et encore plus d'entraînement, je suis sûre de NE PAS pouvoir les manger avec élégance.

Je vais prendre un burrito.

C'EST TRÈS SALISSANT.

# Lundi 23

Cher toi,

Tu sais ce qu'Isabelle m'a sorti aujourd'hui, tout à coup, comme ça? « Hé, Jasmine! Si un jour il y avait dans ta cour un arbre très laid qui était couvert d'une bande de serpents très laids et que tes parents n'en voulaient pas, tu m'en donnerais un, hein? »

La bonne réponse à cette question, c'est **« oui »**, évidemment. Sauf si c'est Isabelle qui la pose, la question, auquel cas l'expérience m'a appris qu'il faut courir tout droit au secrétariat et demander la permission d'appeler à la maison.

Après l'avoir suppliée pendant 10 minutes, j'ai finalement convaincu ma mère d'aller voir s'il y avait des serpents dans la cour. Elle a dit qu'il n'y en avait pas et m'a demandé de ne pas appeler de l'école à moins que ce ne soit vraiment important.

Si Isabelle prononce les mots « serpents » et « dans ta cour » dans la même phrase, fais-moi confiance : C'EST important. Mais ma mère ne connaît pas mon amie aussi bien que moi, alors elle n'a pas pu saisir toute la gravité de la situation.

Je fais toujours attention à tout ce que dit Isabelle...

même si elle parle seulement d'oursons.

Quand j'ai revu Isabelle, un peu plus tard, elle m'a reposé la question et je lui ai dit que je ne comprenais pas vraiment pourquoi elle me parlait de serpents dans ma cour.

« Bon, alors je vais te poser la question autrement, a-t-elle dit. Supposons que tu manges un burrito et qu'une bande d'araignées en sortent. Tu m'en donnerais une? »

OUIIIILLE! Est-ce qu'elle sait qu'Henri m'a invitée à manger les **Tacos de l'Amour** avec lui? Écoute, Isabelle, **ON N'ÉTAIT PAS DES MEILLEURES AMIES À VIE QUAND J'AI ACCEPTÉ SON INVITATION!**

Maintenant, je ne pourrai même plus commander un burrito...

# Mardi 24

Cher JFN,

J'ai vu Angéline enlever du mur l'affiche que j'avais faite pour la danse.

Bien sûr, elle a PRÉTENDU qu'elle la recollait parce que le ruban adhésif avait lâché. C'était peut-être vrai, d'ailleurs, parce que les brillants, ça finit par PESER lourd.

Elle a montré un petit coin où il n'y avait pas de brillants. « Tu pourrais faire une petite retouche ici, a-t-elle dit. As-tu encore des brillants dorés comme ceux-là? »

Re-ouille! Est-ce qu'elle est au courant? C'est justement les **brillants dorés** qui se sont retrouvés dans les « boucles d'oreilles » fabriquées par Sac-à-puces! Est-ce qu'elle dit ça pour me faire craquer?

CE SONT LES BRILLANTS QUE SAC-À-PUCES A MANGÉS!

BRILLANTS OR VIF

# Mercredi 25

Cher toi,

Je me suis exercée à manger des tacos encore aujourd'hui, même si j'avais l'impression que c'était une cause perdue. Il faudrait un miracle pour que je devienne une experte en la matière.

J'ai posé mes faux tacos devant le miroir et j'ai réfléchi longuement à la façon de m'y prendre. Comme je m'apprêtais à en prendre une bouchée, je me suis aperçue dans le miroir... mignonne comme tout, LA TÊTE PENCHÉE SUR LE CÔTÉ.

C'était un miracle! J'ai eu comme une vision de Béa, qui ressemblait à un ange grassouillet avec une tête joufflue. Elle portait une robe bouffante en napperons de dentelle et tenait un bébé caniche à grosse tête qui était, lui aussi, un ange. Ils avaient tous les deux la tête penchée de côté et mangeaient tous les deux des tacos.

Évidemment, je n'ai pas vraiment vu ça, mais c'est probablement ce que j'aurais vu si j'étais le genre de personne à avoir des visions.

La tête penchée en position « pré-taco », je ressemblais tout à fait aux adorables figurines de Béa. J'ai ouvert de grands yeux, et tout à coup, j'étais si joliment mignonne et adorable que j'ai failli faire dans ma culotte.

À cet instant, juste avant de prendre une bouchée de taco, j'avais adopté sans m'en rendre compte la pose la plus a-do-ra-ble de tout l'Univers connu. Et même si le taco explose en nuage d'ingrédients quand j'en aurai pris une bouchée, le souvenir de mon adorabilité va durer toute l'éternité.

J'aurais bien aimé savoir jouer d'un instrument. La dernière phrase aurait fait une excellente chanson.

Je me suis rendu compte, tout à coup, que le Musée de l'Adorabilité de Béa n'était pas si bête, après tout. C'est un brillant exemple, pour toute l'humanité, de la façon de se tenir la tête pour avoir l'air mignonne.

Tu vois? Ça marche pour tout le monde!

# Jeudi 26

Cher nul,

J'ai fait un rêve horrible. J'ai rêvé à Angéline, ce qui est déjà assez horrible en soi, mais c'était bien pire que ça. On était dans un restaurant de tacos, et Angéline avait gagné des milliers de dollars en vendant des bijoux brillants. J'étais là, en train de manger un taco et de m'en mettre plein la figure, quand elle est entrée et m'a remis cet argent. Puis elle a pris une serviette et elle a essuyé mon menton dégoulinant de sauce à taco parce qu'elle avait vu Henri s'approcher de ma table.

Angéline a essuyé mon menton dégoulinant! Tu t'imagines? Je me suis réveillée en criant tellement fort que je ne serais pas étonnée que Sac-à-puces ait produit une autre paire de boucles d'oreilles, et peut-être un bracelet en plus.

Tout ça, c'est la faute d'Angéline! C'est parce qu'elle m'a mis son propre maquillage sur le menton pour m'éviter un moment d'embarras. À cause de sa gentillesse désintéressée, je me sens terriblement coupable de l'avoir laissée se faire punir pour les boucles d'oreilles en crotte de chien. Je ne pouvais plus garder ça pour moi : je devais tout avouer.

Je ne peux plus SUPPORTER le poids de la culpabilité.

Aussitôt arrivée à l'école ce matin, j'ai raconté à mon-oncle-le-directeur-adjoint-monsieur-Devos ce qui s'était passé. Je lui ai tout expliqué. Je lui ai dit que Sac-à-puces mangeait tout le temps des choses et qu'elles ne ressortaient à peu près jamais sous forme de bijoux, sauf peut-être le genre de bijoux qui vont avec des robes de demoiselles d'honneur comme les nôtres. Mais j'ai immédiatement regretté d'avoir dit ça parce qu'il est devenu sérieux comme un pape et qu'il m'a dit que j'aurais dû lui dire la vérité tout de suite.

Voilà le genre de poses qu'on apprend à l'ÉCOLE DES DIRECTEURS ADJOINTS.

J'ai répondu qu'à mon avis, la vérité restait la vérité, même après quelques jours. Il a réfléchi une minute, puis il a dit : « **C'est la chose la plus stupide que j'aie jamais entendue.** » Ensuite, il m'a conseillé d'oublier toute cette histoire. Alors j'ai décidé qu'il n'était peut-être pas un rat, après tout.

Mais il a ajouté qu'Angéline **irait** à la danse, ce qui m'a fait revenir à ma première idée — il **est** un rat! — parce que ça n'aurait fait de mal à personne qu'Angéline soit punie pour une bêtise qu'elle n'avait pas commise.

Donc, je n'aurai pas Henri à moi toute seule pour les tacos, demain soir. Mais si je peux convaincre Angéline de commander un burrito, je vais quand même avoir l'air adorable et elle aura l'air de quelqu'un qui essaie d'avaler un boyau d'arrosage plein d'araignées.

REMARQUE : C'EST SCIENTIFIQUEMENT IMPOSSIBLE DE DESSINER ANGÉLINE DANS UNE POSITION AUSSI RIDICULE.

ALORS, VOICI UN DESSIN D'UN CHATON EN TRAIN D'OBSERVER CET HORRIBLE SPECTACLE.

IL VA ENSUITE ÊTRE ENVOYÉ D'URGENCE À L'HÔPITAL, OÙ IL VA RESTER SIX MOIS.

# Vendredi 27

Cher journal,

Je viens juste de revenir de la danse. Par quoi devrais-je commencer?

Premièrement, Angéline m'a remerciée d'avoir avoué la vérité à notre-oncle-le-directeur-adjoint-monsieur-Devos. Puis elle a ri de moi parce que j'avais été assez stupide pour confondre les créations de Sac-à-puces avec des boucles d'oreilles.

J'ai répondu qu'elle avait été stupide, elle aussi, de se laisser punir pour une bêtise qu'elle n'avait pas commise, et elle a dit qu'elle avait fait ça pour que tante Carole et notre-oncle-le-directeur-adjoint-monsieur-Devos cessent de se disputer.

Elle savait très bien que c'était moi, la coupable, mais elle s'en fichait. Elle voulait seulement que ça cesse. (Je suppose qu'elle n'est pas aussi stupide, finalement.)

Je parie que les grosses boucles d'oreilles brillantes vont devenir SUPER À LA MODE un jour.

Pour en revenir à la danse, le comité organisateur avait fait du très bon travail pour décorer le gym. Et la musique était excellente.

Mais Angéline est plus stupide que je ne le pensais. Elle s'est mise à danser, mais elle ne dansait avec personne en particulier. Elle dansait dans toutes les directions, comme si personne ne la regardait. Elle a dansé un moment avec Michel Pinsonneau, puis avec Margot (qui danse vraiment bien – surprise, surprise! – et qui n'a presque pas l'air d'un singe).

C'est drôle comme Angéline est facilement stupide.

Je me suis probablement amusée autant qu'elle en restant debout bien tranquille. J'ai fait quelques petits faux pas, mais je m'en suis plutôt bien tirée, je pense. Isabelle et moi, on a dansé un peu, mais on n'a pas perdu le contrôle comme **Mademoiselle Pas-de-Danse.**

C'est très impoli de danser cent fois mieux que les gens autour de soi.

Monsieur Devos était là, même s'il se marie demain. Il a beau être un rat, il prend apparemment ses fonctions directoriales très au sérieux.

Je n'ai pas pu profiter à fond de la danse, parce que je me sentais mal d'avoir laissé tomber Isabelle, même si le **RENDEZ-VOUS** avec Henri était la réalisation d'un de mes plus chers désirs (moins que d'avoir une licorne qui parle, mais plus que d'être capable de parler aux koalas).

En voyant Isabelle se tenir aussi bien, comme une vraie professionnelle, je me suis rappelé la première chose vraiment gentille qu'elle avait faite pour moi quand on était petites.

On était en troisième année, je pense, et on était en train de manger. Ma mère avait mis quelque chose d'horrible dans mon lunch, tandis qu'Isabelle avait un extraordinaire sandwich à l'extraordinaire pain de viande de sa mère. Quand elle a vu à quel point je détestais mon repas, elle a fait la chose la plus adorable qui soit. Tu ne devineras jamais...

Elle a tiré les cheveux d'Éric Daoust jusqu'à ce qu'il me donne SON lunch.

*Elle était adorable, Isabelle, quand elle était petite, non?*

Les gens ne savent pas toujours à quel point Isabelle est gentille et à quel point elle s'occupe de sa MAV, mais moi, je le sais. Alors, j'ai eu une idée stupide.

J'ai dit à Angéline que je n'irais pas manger des tacos.

Alors elle a dit : « Je le savais. J'étais sûre que tu ne laisserais pas tomber Isabelle. Ce n'était pas gentil de la part d'Henri de dire qu'Isabelle ne pouvait pas venir, alors je n'y vais pas non plus. »

À la fin de la danse, on a dit à Henri qu'on n'irait pas avec lui. On ne lui a pas expliqué pourquoi. On lui a simplement dit qu'on n'y allait pas.

Isabelle nous a rejointes, juste au moment où il s'éloignait dans la nuit avec sa mère et quelques autres amis, et elle nous a demandé : « Pourquoi vous n'allez pas manger des tacos ? »

Je n'en revenais pas. « Tu le savais ? »

« Bien sûr que je le savais. »

Angéline était aussi surprise que moi.

« Alors, Isabelle, a-t-elle dit, tu dois savoir qu'Henri nous a invitées, mais qu'il nous a dit que tu ne pouvais pas venir. »

La fourgonnette
avait l'air toute triste
que je ne sois pas là.

« En effet, a dit Isabelle. C'est exactement ce que je lui ai dit, il y a deux semaines. Ma mère ne voulait pas que j'y aille. Quand ta tante Carole m'a ramenée à la maison, l'autre soir, elle est entrée et elle a dit à ma mère que j'avais déboulé l'escalier. J'ai peut-être fait avaler ça à ta famille, Jasmine, mais la dernière fois que j'ai réussi ce coup-là avec ma mère, j'avais quatre ans. Elle était très fâchée que j'aie fait ça chez vous. Elle m'a presque privée d'aller à la danse, mais elle n'est pas encore tout à fait immunisée contre mes larmes de crocodile, alors j'ai pu venir.

« Mais quand je lui ai dit qu'Henri m'avait invitée à aller manger des tacos après la danse, elle m'a interdit d'y aller, pour me punir. Henri m'avait invitée **avant** vous deux, et je lui ai dit que je ne pouvais pas y aller. » « Je te l'aurais dit, Jasmine, mais on s'était disputées ce jour-là. Et après, je n'en ai pas eu l'occasion. »

JE NE PEUX PAS Y ALLER

ELLE NE PEUT PAS VENIR

Il nous a simplement répété ce qu'elle lui avait dit!

Puis Isabelle nous a regardées d'un air perplexe et nous a demandé : « Mais pourquoi est-ce que vous, vous n'êtes pas allées?

« Je n'en ai aucune idée, Isabelle, ai-je dit. On pensait qu'Henri t'avait laissée de côté. »

Alors elle a dit : « C'était plutôt stupide. »

Et elle avait raison.

C'était aussi stupide que de risquer SA VIE pour sauver quelqu'un qui n'est même pas en détresse.

# Samedi 28

Cher journal,

C'était aujourd'hui **LE GRAND JOUR DE TANTE CAROLE.** Tout a commencé par un coup de téléphone de ma tante, totalement paniquée. Mon-oncle-le-directeur-adjoint-monsieur-Devos a ramassé les robes de demoiselles d'horreur chez la couturière, qui y avait fait quelques retouches, et il les a laissées dans sa voiture sans verrouiller les portières. Et figure-toi que quelqu'un les a volées. Alors, on a dû porter les robes qu'on avait à la répétition.

**QUELQU'UN LES A VOLÉES!** Les criminels ne sont peut-être pas tous si méchants, après tout...

On est parfois injuste avec certains êtres humains, comme les voleurs.

Tout s'est bien passé. On était toutes belles, même Béa. Sa robe à elle n'avait pas été volée, puisqu'elle n'avait pas besoin de retouches. Alors, Béa l'avait gardée chez elle. Donc, elle avait quand même toute la mignonne adorabilité qu'elle adore. Et je dois dire qu'elle est tout à fait capable de supporter toutes ces fanfreluches.

*Béa est faite pour les robes de dame d'honneur.*

Les profs qui sont venus à la réception étaient beaux aussi, même la Brunet. Elle portait une robe à grosses fleurs qui la faisait ressembler à un divan debout — mais un très beau divan.

Quant à Mlle Angrignon, comme c'est une prof d'arts, elle est experte en beauté, et elle était très en beauté aujourd'hui, comme d'habitude. Sa robe, ses chaussures et son rouge à lèvres étaient tous du même rouge cramoisi. Avec ses ongles rouges, elle avait l'air d'une Barbie transformée en loup-garou.

Mais la mariée avait le droit d'être la plus belle de toutes — et elle l'était.

Elle avait l'air un peu coincée dans sa robe de mariée, mais elle était coincée avec beaucoup d'élégance.

La cérémonie elle-même a été plutôt longue et ennuyeuse. Mais c'est normal parce que l'idée, c'est de coller deux personnes ensemble et que **la première règle de l'art, c'est que ça prend du temps pour faire des belles choses et qu'on ne peut pas faire coller la colle plus vite qu'elle ne colle.**

Mais la réception a été beaucoup mieux. On a bien mangé, et il n'y avait même pas de Vieil Oncle Gaga pour me poser des questions jusqu'à ce que je m'endorme dans mon assiette.

C'était vraiment drôle de regarder tante Carole et mon-oncle-le-directeur-adjoint-monsieur-Devos se barbouiller mutuellement le visage de gâteau. C'est une des traditions de mariage qu'on pourrait peut-être garder pour les cérémonies de divorce.

Angéline m'a montré sa stupide façon de danser — n'importe comment, sans me demander qui me regardait —, et j'ai trouvé ça beaucoup plus amusant que de rester debout. Je resterai peut-être debout moins longtemps à la prochaine danse de l'école.

D'accord, je l'avoue!

Je danse comme une déesse.

À un moment donné, pendant la soirée, je me suis vue dans le miroir de l'entrée, et j'ai été bien contente de ne pas porter la fameuse robe de demoiselle d'horreur. Isabelle s'est approchée et m'a dit :

« Ta robe te va très bien. Tu dois être contente que les autres se soient fait voler. »

Alors, ça m'a frappée comme une tonne de briques. C'était Isabelle qui avait volé les robes! Elle était tellement touchée que j'aie refusé l'invitation d'Henri qu'elle a fait ça pour moi.

Alors je lui ai dit : « Tu n'aurais pas dû faire ça, Isabelle. Je l'apprécie vraiment, mais tu n'aurais pas dû voler les robes. »

« Je ne les ai pas volées, a-t-elle répondu. Je l'adorais, moi, ma robe. Je n'aurais jamais fait ça pour toi. »

Puis Angéline est arrivée, et elle a dit : « Ta robe te va bien, Jasmine. »

C'est là que j'ai VRAIMENT compris ce qui s'était passé : c'était Angéline qui avait volé les robes! Elle était tellement contente que j'aie dit la vérité au sujet des « boucles d'oreilles » qu'elle a fait ça pour me remercier.

« Angéline, tu n'aurais pas dû voler les robes pour moi. C'était très gentil de ta part, mais tu n'aurais pas dû. »

Pendant une petite seconde, j'ai presque regretté qu'on ne soit pas parentes.

Aaaahh! C'était vraiment gentil à elle DE COMMETTRE UN VOL POUR MOI!

J'irai peut-être lui rendre visite en PRISON.

Mais Angéline s'est mise à rire. « Tu as raison, Jasmine, ça **AURAIT** été gentil, mais ce n'est pas moi. J'adorais ma robe. J'avais l'air d'une mégastar, et Isabelle avait presque l'air d'une star. Je pensais que c'était toi qui les avais volées. »

Alors, j'ai été **À NOUVEAU** contente qu'on ne soit pas parentes.

Comment **OSE**-t-elle me prendre pour une voleuse?

« D'ailleurs, a-t-elle ajouté, je ne suis pas très contente d'être parente avec une voleuse. »

« Mais tu n'es pas parente avec moi, ai-je corrigé. On n'est pas cousines. »

« Bien sûr qu'on n'est pas cousines, a-t-elle dit. On va être **co-grands-mères!** »

C'est alors qu'Isabelle a perdu la tête. Elle s'est mise à sautiller sur place en criant et en suppliant : « Est-ce que je peux en avoir un, Jasmine? S'il te plaît, est-ce que je peux en avoir un ? »

Je devais avoir l'air un peu perdue parce que Angéline s'est sentie obligée de me donner des explications.

« Ben, voyons, Jasmine! Ne fais pas semblant! C'est toi qui glissais Sac-à-puces sous notre clôture. Je t'ai vue. »

« Ce n'était pas Jasmine », a avoué Isabelle — mais elle avait l'air plutôt fière pour quelqu'un qui avouait un crime.

« Je savais que Sac-à-puces et Brioche-Dorée étaient tombés amoureux quand ils se sont rencontrés chez Jasmine, a-t-elle ajouté. Ils voulaient se revoir. Quand deux personnes sont amoureuses, elles doivent pouvoir être ensemble. Même si une de ces personnes est un chien. Et l'autre aussi, d'ailleurs. »

Tu te rends compte à quel point elle est gentille? Elle a donné de son temps généreusement pour permettre à Sac-à-puces et à Brioche-Dorée d'être ensemble. Ça explique pourquoi Sac-à-puces rentrait toujours tout ébouriffé de ses promenades. C'est parce qu'Isabelle le glissait sous la clôture d'Angéline.

« Et ils vont avoir des chiots? » a demandé Isabelle en poussant ce qui ressemblait à un petit cri de ravissement. C'était bien la première fois que je l'entendais faire un bruit pareil.

« Quand est-ce qu'ils vont naître? Est-ce que je peux en avoir un? S'il vous plaît! »

« Le vétérinaire dit que Brioche-Dorée va avoir ses petits dans trois ou quatre semaines, a répondu Angéline avec un grand sourire. Bien sûr que tu pourras en avoir un! »

Des chiots... Sac-à-puces va être papa. Et Brioche-Dorée va être maman. Ce qui veut dire qu'Angéline et moi, on va être grands-mères... et même **co-grands-mères!**

« Mais qu'est-ce que Brioche-Dorée peut bien lui trouver, à Sac-à-puces? » ai-je demandé. C'est mon chien, c'est sûr. Je l'aime bien, c'est sûr. Mais sérieusement : **BEURK!**

Isabelle a dit : « Ben, il a pondu des beaux bijoux. Tu sais bien que ÇA impressionne toujours les dames. »

Elle a raison. Mais je ne sais pas trop ce qui est le plus difficile : **d'être** vraiment parente avec Angéline (**par chiens interposés**) ou plutôt de savoir qu'il y a, en ce moment même, des voleurs qui se baladent dans la nature avec nos robes de demoiselles d'honneur.

Au moins, je sais maintenant à quoi Isabelle faisait allusion quand elle m'a parlé des araignées dans mon burrito et des serpents dans ma cour. Elle voulait parler des chiots.

À la fin de la soirée, j'ai embrassé tante Carole, je l'ai félicitée et je l'ai remerciée pour tout. Puis je suis allée dire bonsoir à mon-oncle-le-directeur-adjoint-monsieur-Devos. Il était dans l'entrée. Je l'ai félicité et je lui ai souhaité beaucoup de plaisir pendant sa lune de miel.

« C'est une chance que les robes aient été volées, hein? » a-t-il dit en me faisant un grand sourire idiot comme il n'en avait pas fait depuis un mois. J'ai vu qu'il avait de belles dents, mais aussi...

« C'est **TOI** qui les as volées? »

« Je n'ai pas dit ça, a-t-il répondu. Mais je savais que tu les détestais. Je les trouvais horribles, moi aussi. Ta tante Carole et moi, on a eu une énorme dispute à ce sujet-là. C'est pour ça qu'elle pleurait le jour où tu es venue au secrétariat. »

« Alors, tu les as fait disparaître? Pour moi? » ai-je demandé, même si je connaissais déjà la réponse.

C'était LUI!

Tout ce qu'il a dit, c'est qu'on en reparlerait quand ils rentreraient de leur lune de miel. Il a ajouté qu'à son avis, la vérité restait la vérité, même après quelques jours.

J'ai répondu que c'était la chose la plus stupide que j'aie jamais entendue.

Je sais ce que c'est, la vérité. La vérité, c'est qu'il n'est pas un rat. Il est mon ONCLE Dan.

## ATTENTION!
### CERTAINES VÉRITÉS NE PEUVENT PAS ATTENDRE QUELQUES JOURS :

J'AI PERDU MON SINGE ENRAGÉ PRÈS DE LA MATERNELLE, MERCREDI DERNIER.

J'AI ACCIDENTELLEMENT FAIT CUIRE QUELQUES VERS DE TERRE DANS TON GÂTEAU D'ANNIVERSAIRE DE L'AN DERNIER.

MERCI DE M'AVOIR ÉLU. JE VOUS AI MENTI SUR TOUT.

# Dimanche 28

Cher nul,

On est dimanche. Le jour des devoirs, encore une fois. Isabelle vient chez moi parce qu'elle ne sait absolument pas quoi faire pour son diorama, puisque toute cette histoire de « baron Louis de la Laisse » n'était qu'un tissu de mensonges. (Note les petites mouches...)

Mais j'ai une idée de ce que je vais mettre dans mon diorama à moi.

Je vais y mettre ce que j'ai découvert au sujet de la stupidité :

1. Que c'est de la pure stupidité de renoncer à un rendez-vous au restaurant de tacos, et aussi de se laisser punir pour une chose qu'on n'a pas faite.

2. Que c'est stupide de croire qu'on peut inventer une auto, un avion ou un microscope.

3. Que c'est la stupidité qui fait que les chiens et les gens tombent amoureux. Qu'on se fasse coincer dans une robe de mariée ou glisser sous une clôture, l'amour, c'est BEAUCOUP de travail.
4. Que c'est stupide de collectionner des figurines, de donner des chiots, de décorer des gyms, de faire des cadeaux, d'aimer son chien qui pue et de danser comme si personne ne nous regardait.
4. Et aussi de tenir un journal.

Mais parfois, ce que les gens font de mieux, ce sont des choses stupides. Alors, la chose la plus intelligente à faire, c'est de ne jamais sous-estimer ta stupidité.

Merci de m'avoir écoutée, cher nul.

Jasmine Kelly